飾区亀有公園前派出所 ⑯

秋本　治

集英社文庫

※本文中に出てくる数々のデータ、数字等はコミックス掲載時のものです。

こちら葛飾区亀有公園前派出所⑯

目次

ポリス忍者《にんじゃ》！の巻《まき》

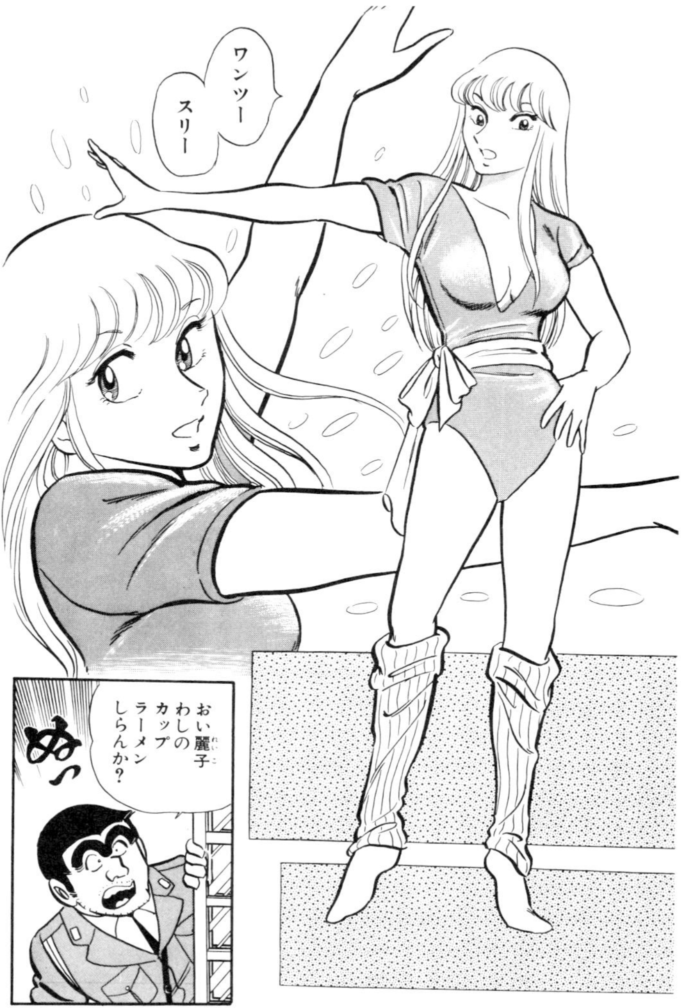
ワンツー スリー
おい麗子《れいこ》 わしの カップ ラーメン しらんか？
ぬっ

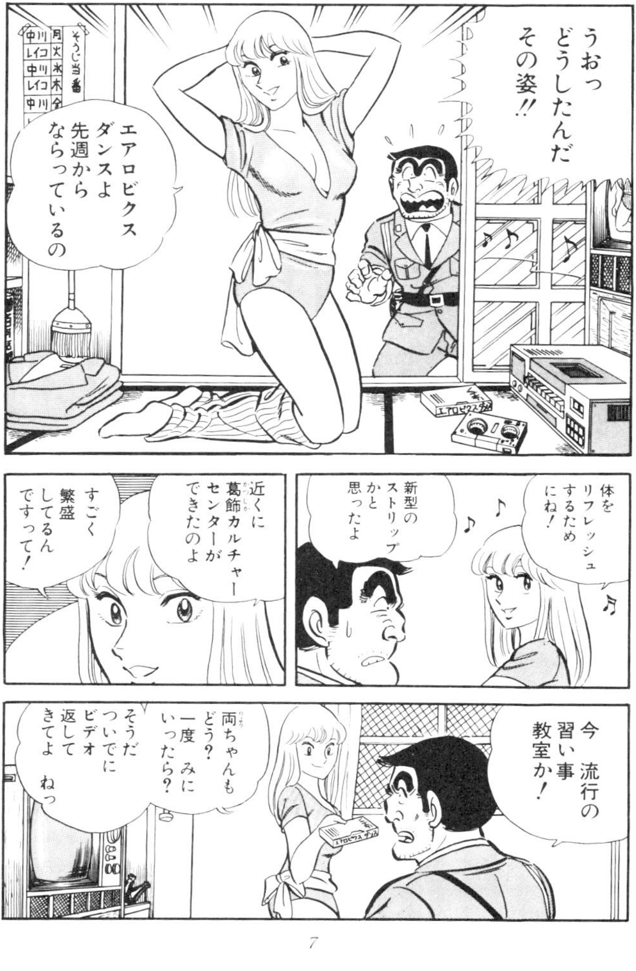
うおっ どうしたんだ その姿!!
エアロビクスダンスよ 先週からならっているの
そうじ当番
エアロビクスダンス
体をリフレッシュするためにね!
新型のストリップかと思ったよ
近くに葛飾《かつしか》カルチャーセンターができたのよ
すごく繁盛してるんですって!
今 流行の習い事教室か!
両《りょう》ちゃんもどう? 一度 みにいったら?
そうだ ついでにビデオ返してきてよ ねっ
エアロビクスダンス

なんの事はない わしはお使いがわりじゃないか！
麗子は口車にのせるのがうまいな！ちくしょう
たしかこのあたりのはずだが
葛飾カルチャーセンターはどこにあるんだ
あんたの目の前だよ
うおっこんなビルか!?

すげえ！こんなにいっぱい教室があるのかよ
K 葛飾カルチャーセンター
授業時間 各1時間（個人20分）
月・水・金コース
民謡 ピアノ 茶道 ジャズダンス
カラオケ 編物 華道 パターンソーイング
剣道 書道 日舞 クラフトデザイン
テニス ソロバン 和裁 エレクトーン
ボクシング 着付 空手 タイプライター
洋裁 絵画 ギター 手芸
学習 やき物 社交ダンス アニメーション
忍者 ベーゴマ ひまつぶし インテリア
9F 着付教室にて 和服「かとりーぬ」大安売り！
世間の人間はよっぽど暇と金をもて余してるんだな
ぐおっ
ガヤガヤ
ガヤ
パッ
わっ
ドドド
失礼ですがご入学ですか？
ばか！人の波におされてきただけだ！
安売り会場
相道着付教室

どこだかさっぱりわからなくなっちまったよ
ソロバンはいかがざんす
ソロバン教室
入学生募集 電気不用、省エネ ソロバン
お客さん社交ダンスやらない？入学金まけとくよ
いらん！
まったくにぎやかなビルだな
空手教室
なんだこりゃ!?
忍者教室
賀《が》流《りゅう》忍《にん》法《ぽう》道《どう》場《じょう》
忍者かずいぶんとなつかしいな
昔は よくやったものだ
ちょっとのぞいてみよう！
ガラッ

なんだ だれも いないじゃ ないか
スキ あり!
パ
ふんぎゃっ
おぬし まだ 修業が 足らん ようだな
うしろから 急に なぐりやがって きたねえ やつだ!
入学生 では ないのか?
あたり前だ! 今どき 忍者に なるやつなど いるか!
やはり…… 開店 してから 入学生が ひとりも いないんだ
小学生でも 誘った方が いいんじゃ ないのか
たのむから 生徒一号に なってくれ! たのむ!
やだよっ いそがしいんだからな!

たのむ！ボランティアだと思ってたのむ！たのむ！
うっ 荒瀬《あらせ》顔負けのがぶり寄り……
わ…わかったよ ちょこっとだけな
やった！これぞ忍法強引説得の術！
まず忍法には火遁《かとん》 水遁《すいとん》 木遁《もくとん》 土遁《どとん》の術が ある
本日は火遁の巻 火を使って相手のひるんだスキににげる！
火遁の術
そういえばよく 忍者がやってるな
まず口の中にベンジンをふくむ
人間ポンプみたいだな
金魚や豆電球をのんでみろ
そんな術はない！
ゴクッ
うわっゴキブリ!!
と思ったらただのゴミか…
ん？どうかしたか？

大丈夫かよ そんな事 してると 体こわすぞ
ば……ばかもの！ 忍者は 不死身だ！
このような 時は 毒消しの 丸薬《がんやく》を のめば すぐ 治る
そんな ヤギのフン みたいな物 きくのかよ？
昔から 忍者は 医学を 心得て いるのだぞ 申賀流《しんがりゅう》の 先祖から 伝わる薬を のめば 一発で……
ゴロ‥
し しまった これは 下剤だった
WC
ピーゴロゴロ
たよりに ならない 忍者だな

えっ 先輩が 忍者の教室に かよってるんですか?
月謝が タダと いうから つきあって やってるんだ 本人は やる気十分で 困ったよ
教科書が 白土三平《しらとさんぺい》の 忍者漫画だぞ! 授業が だいたい 想像つくだろ
しかし その先生は 本物の忍者の 子孫なんで しょうね
おっ そろそろ 時間だな
さて 今日も また じいさんの おつきあい するか
なんです その ふろしき づつみは?

忍者セットだよ 今日は屋外授業でこれを使うんだ
じゃあな!
先輩も大変だな
本人も楽しんでるんじゃないの?
今でていったのは両津《りょうつ》じゃないのか……
はい
なんでも忍者になるため毎週 特訓をしてるとの事です
あいつめ! 強盗事件が多発してるというのに何 考えているんだ
今日は風が 強いので大ダコの術をやる事にする!
水遁の術じゃないの? ちゃんと水グモ用意してきたのに……

忍者は その時の 気分で 変わるものだ これを 忍法浮気心《うわきごころ》の 術《じゅつ》とよぶ
そういう事 してるから 生徒が ひとりも こないんだぞ
きみ このタコに のりなさい
えっ!?
本当に 大丈夫なんだろうな?
心配いらん 大ダコの術は なん度か 実験ずみだ
犬やネコで だがな…… 人間は 初めてだが たぶん 大丈夫だ
たぶん てのは なんだよ こら!
もし おちたら 地面につく 瞬間 受け身を しなさい
そんな もんで たすかるか!!
いくぞ
ヒュウウウウ
うわっ

ひええ―っ
グリイイーン
やった大成功だ！
カラカラ
さらに上空へ…
おや！
しまったヒモがもうない！
なんとかしろ!!
しからば申賀忍法
南無大ハカ…
でえええいっ
カムバックマイタコくん
年とともに術がきかなくなった
追いかけていった方が早そうだ

どこまで流されるんだ……まったく
電線にひっかかったら死んじまうよ！
あっあいつ空巣だ！
こらっきさま！逮捕するぞ！
あっあんなところからみてるとは！
これでもくらえ！
あっ
わわっ失速だっ
ざまあみやがれ！
甲斐理髪店
プロフェッショナルバーバー
亀有支店
本店

ぐわっ
おお ここにいたか! 大丈夫だったか?
大丈夫なはずないだろ!
そんな事より 強盗が いたぞ つかまえるんだ!
なにっ
今の時間留守が多いからな バッチリだぜ!
あそこだ! こらっ まて!!
STOP
あっ しつこいやつらだ!

まて こういう時は 刀を 使いなさい
こうして…
おっ
あとは ヒモで 刀を もどせば よい
さすが 忍者の 先生だけ あるな
ちくしょう むこうも プロだけあって すばしっこいな!
ガシャ
ガシャ
ぜい ぜい
じいさん 大丈夫 かよ
こ… これを なげなさい 早く!
ようし えい!

うわっ
なんだっ これは!?
やった 動きを止めたぞ!
ちくしょう
うおっ
カワラの手裏剣をくらえっ でやあーっ
うわっ
なかなか往生ぎわの悪いやつだ
よし!
ぎゃん!
うおりゃあっ

おみごとっ 免許皆伝だ あっぱれ!
つかまえたぞ おとなしく しろ!
先輩 すごいですね 連続強盗を つかまえる とは!
忍者ごっこの末 たまたま みつけただけだ ケガの 功名だよ!
忍者教室も PRになって おかげで 生徒が いっぱいきて 大変らしい わよ
本当か?
今や ヨガ 空手に 代わって 忍者 ブームらしい ですよ
なるほど な………

ところで両津はどうした?
なんでもあれから忍法にこりだして伊賀《いが》の山へこもってるときいてますが…
もう 一週間になるけどなんの音沙汰もありませんね
本物の野性にもどったのじゃないか?
あら?
サザッ
今 なにか通りすぎていかなかった……?
さあ 気がつかなかったけど……
とにかく両津には気を つけろよ サル以上の頭脳とネコの身軽さをもってるからな
とつじょ派出所にあらわれたりしますからね 先輩は………

★週刊少年ジャンプ1983年１号

幹事《かんじ》の苦労《くろう》!?の巻《まき》

VTかっぱらわれる!
バックミラー・サイドカバーなどとられつづけ今度は丸ごと取られる
はげましのお手紙を出そう
足立区はこわい
えっ 私が 旅行の 幹事を?
予算は これだけだ 場所や日時は すべて まかせる
なんで 私が やらなきゃ いけないんですか!?
他の者は 仕事で いそがしくてな おまえが 一番 適任だ
ちぇっ いつも こんな役だ 臨時ボーナスでも もらわなきゃ あわないよ
あげても いいぞ
えっ 本当!?
ちゃんと 旅行幹事を つとめたら な!
も もちろん はは… やった!

部長 本気で ボーナス あげるんですか!?
ははは ジョークだよ ああ いえば がんばるだろう あいつも
ジョークで すめば いいけどね
不吉な 予感が するわね
パパパパパン
両津 最近 みないが どうしたんだ
旅行の事で あちこち 走り回ってる ようです
そんなに はりきって いるのか…
ボーナスの 件が きいて ますよ!
みなさん おまちどお さま!

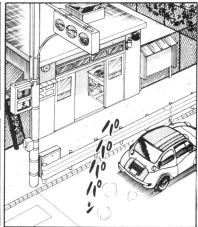

旅行先は埼玉《さいたま》レジャーランドに決まりましたのでキップを 渡しておきます
え!?
東京《とうきょう》ディズニーランドと人気を二分するあの埼玉レジャーランドですか
その通り!
よくキップが 手に入りましたね
2日間徹夜を して入手したよ 7枚
なんせ連休でこんでるからな 今度は電車のキップだ 3日もならべばなんとか……
先輩!
よかったらぼくの車使ってください
そうかそりゃ助かる
当日の天気はバッグンのはずだからオープンカー3台用意してくれ これで 予算が少し ういたぞ
おい 両津

部長のリクエストは釣りでしたね まかせてください いい釣り場があります
いや ボーナスの事だが…
今くれる!? いやあ あとで けっこうです ははは
楽しみはとっておいた方が いい!
ポン
中川《なかがわ》はゴルフだったな レジャーランドに予約しておいたからな 楽しみにしていろ
麗子《れいこ》はテニスだな これもバッチリ
20面の大テニス場がある!
おっと 仕出し弁当の予約を忘れていた
いそがしいので あとでまた!
POLICE
軽い冗談のつもりでいったのだが……
しりませんよ もう あとへ引けませんよ
禁煙

旅行当日
まだ両津きてないのか?
もうくると思いますが………
ハアーイおまたせ
なんだそのかっこうは?
夏を先取りしました

さあ出発ーっ!!
ヴォォォォ
運転大丈夫なのか?
数年ぶりだがなんとかなるだろ
なにしてるんですか?
サンオイルをぬっとる今日は焼けるぞォ

やはりこんでるなあ
そうですね
ポツン
なんだ?
雨雲が急にでてきましたよ
ばかな! 今日は100%晴れるといってたぞ
気象庁に昨日 電話してきいた時…
絶対雨はないと…
ポツ
ポツ
ポツ
ポツ
本格的に降ってきましたよ
ザアー!!

みなさん
これは
ただの
通り雨です
すぐに
やみますから
気にしない
ように!
気にしないと
いっても
車の中が
ずぶぬれに
なってしまうわね
麗子くん
屋根は
どうやって
だすのかね
バダッ
まったく
何が
オープンカーは
最高だ!
だよ!
早く
早く
雨ガッパ
もってきて
よかったよ
おい 中川《なかがわ》
この車
ホロは ついて
ないのか?
絶対
天気だから
必要ないって
いったので
はずして
きましたよ

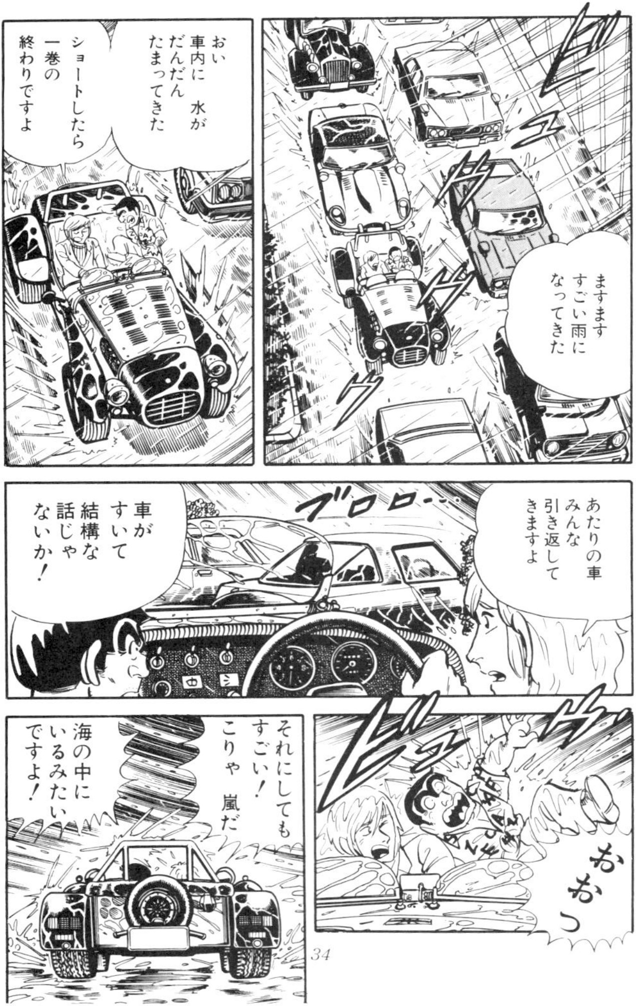
ますますすごい雨になってきた
おい車内に 水がだんだんたまってきた
ショートしたら一巻の終わりですよ
あたりの車みんな引き返してきますよ
ブロロロ…
車がすいて結構な話じゃないか!
おおっ
それにしてもすごい!こりゃ 嵐だ
海の中にいるみたいですよ!

部長さん この雨じゃ 無理じゃ ない？
とにかく レジャーランドに いくだけは いってみよう
部長の車 引き返さ ないが… いく気かな ？
そうじゃ ないの きっと
とうとう ぼくたちの 車だけに なっちゃい ましたよ
おかげで スイスイ 進むぞ
あっ 土砂くずれ らしいわよ
心配ね 帰り 帰れる かしら…
なんとか なるだろ
バイクの 身にも なれよ まったく
ヴォオオ

埼玉レジャーランドに到着したぞ!
TAMA
ちょいとここでまっていろきいてくる
あいつどこへいったんだ
入場できるかどうかききにいきましたが…

閉鎖してるんじゃないですか？
玉
埼
SA
こんな嵐じゃとてもハイキングどころじゃないぞ
そうよとてもやみそうもないわ
お客さんだれもいないしね
あいつには悪いが中止しよう！
部長！入場できるそうです
なに!?

しかし この雨じゃ…
さあ 早く中で 行楽を エンジョイ しましょう
係員は われわれの 貸し切りで いいと いいましたよ 部長!
そ そうか わかった!
よし! 中川 車を 駐車場に いれろ!
部長!
気迫に 負けたく とても 中止とは いえん!
もう!
いやあ すいてます なあ
これから 何を しようと いう気ですか?
ビュウウウウ
無論 レジャーを 楽しむ! はい! 釣りざお!
この雨の中 楽しめる はずない でしょ
雨!?

そう いわれて 気づいたが ポツリと 小雨が……
完璧な 嵐ですよ これは！
こりゃ 天気雨だ すぐ やむよ ほら テニス ラケット！
本当に やる気？
どうしたんだ みんな？ 元気ないぞ
わかった ハラが へってるん だな！
さっそく 用意する ここなら 緑にかこまれ おいしく たべられる
いや！ いいですよ 先輩！
先に レジャーを 楽しもう… な！
早いとこ すませて 帰る事に しよう
その方が よさそうね
何か いいまし たか？
あっ いや 別に 何も！

釣り
あまり近づくと波にのまれますぞ部長!
い、うきが全然みえんぞ
テニス
ちょっとタイム!ボールが水を　すってはずまなくなった
それにカサもちながらじゃ　無理よ
ゴルフ
ここはなん番ホールなのかなあ?ボールもみつからないし!
ゴオオオ
このまま遭難したらどうしよう
なんだ本田《ほんだ》はいかないのか?
まあまあ
えーとリクエストは……
そうかジェットコースターだな
いえ!気が変わったので……

一度きめた事はやり通さんといかん！
やだ！もういいよ
まあどうしても動かせというのならば
ぜひたのむ！
いいよ！やだあーっ
ばか者こういう悪条件だからスリルがあってより面白いんじゃないか！
ガタタン
面白くないよォ助けてーっ
おっこの強風でビスが2〜3本ぬけかかっているぞ
ガタ！
ひゃあーっ
ぎゃあーっ
ぎゃあああっ
きゃあっーっ

いやはや昨日の旅行はまいった!おかげでカゼひいたよ
生きて帰れただけでもよかったですよ
本当ね
みっなさーん
きのうの旅行はじっつに楽しかったですねーっ
さっそく記念写真ができてますので一枚ずつどうぞ
一枚1000円ですのでお忘れなく

★週刊少年ジャンプ1983年20号

お体《たい》大切《せつ》に…！の巻《まき》

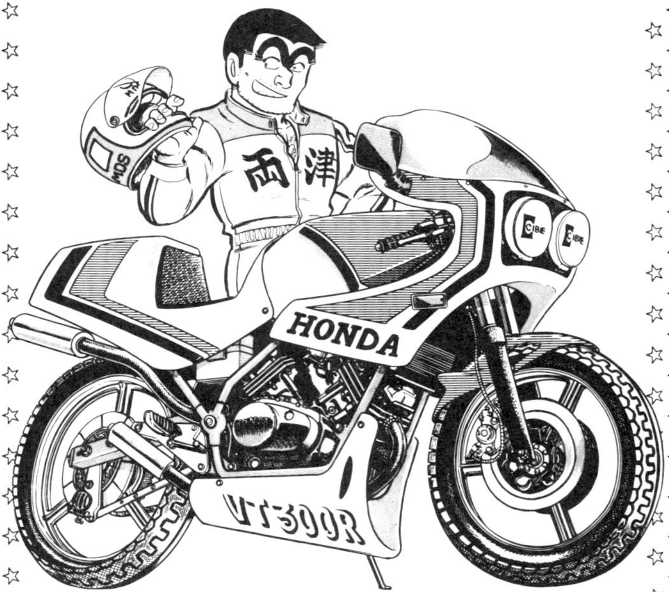

警《けい》察《さつ》病《びょう》院《いん》
内科
北見
ふーむ
潰瘍《かいよう》があるね 気をつけた方がいいよ
はあ そうですか
!
心臓にもかなり負担をかけてる神経使いすぎだね
そして血圧も高いから十分注意すること
はあ

…とまあ人間ドックに入ったのはいいがさんざんおどかされたよ
働き過ぎですよ大原《おおはら》部長は!
ブロロロ
わしら昭和《しょうわ》ひとケタは休むという事をしらぬ世代だからな
だからこそ危険なんですよ
働き盛りの50代がコロッといく例が多いでしょう近ごろ…
おいおどかすなよ!
自分の身をけずって会社に忠義をつくしすぎた結果がそれですよ
うーむ自分の体は自分で守るしかないか……
たばこもやめよう体に悪いし医者にも止められていたしな
その方がいいですよ部長
おや?
ブロロロロ
ブロロロー

ちょっと止めてくれ
えっどうかしたんですか?
胃潰瘍の原因のひとつがいた!
例の問題児ですね
あんずジャムとソースせんべいあとコビトのチョコレート
はいはい
ベビーコーラ
フルタ
カバヤ
グリコ
ロッテ
ギャンブル用にトランプももらおう
それは子ども用だよ
だからいいんだよ児童用は無税で安い!
ふつうのトランプは税金がかかり600円くらいして高い!
トランプにまで税金かけやがって役所の連中は何考えて生きてるんだか!
なあばあさんははは
おまえも公務員だろうがこいつっ!
パコッ
あいた!

あっ！部長も駄菓子屋に何か買物でも…
ばか！おまえをむかえにきたんだ！
30過ぎてこんな店に出入りするとはおまえは小学生か！それも制服姿で！
あいてて耳がちぎれる！
つい幼き日の郷愁と酢イカの香りに誘われ足が…
今でも幼いだろうがこい！
本店
大黒屋
キッ
さあくるんだ！
部長！犯人護送じゃあるまいしもう〜〜！

部長！人間ドックの結果はどうでした？
うむ 体調が悪いと思ったら胃潰瘍らしい
年末年始と少し飲み過ぎたからな
体 大切にしてくださいね 部長さん
人間ドックってなんだ？人間をパンで はさむのか？
体を総合検査して悪いところをみつけるところですよ
まっ先輩には一生 縁がないですよ がんじょうだから
人をサイボーグみたいにいいやがってくそ！
冬の交通安全週間
キキッ 派出所に到着！
きっ
ありゃ 部長は？

病院に薬とりにいってるわよ
こないだ病院いったばかりだろ
あれからすごく体を気づかってるようよ本なども読んでたし
今さら手おくれじゃねえのか?
酒たばこもやめたらしいわよ
なんとバカなマネを!!
まてよ!こりゃまたとないチャンスだ
日ごろのうらみを晴らせるぞ
ちょっとわしにもその本かせ!
え?なんで…
やあおそくなってすまん!
おはようございます

部長！禁酒 禁煙したそうですね！
ああ したよ たばこは体に悪い
その方がいいですよ 体を 大切にしてください 部長あっての私たち ですからね 部長！
おまえ… 顔に似あわず そこまで思って くれるとは…
さてと
すーーっ
ぶわっ
う… うまい
うくむ 最高！
仕事前の 一服が なんとも いえま せんな
ぶはっ
他人を 気にせず すうところが たばこ飲みの いいところ！
先輩 部長 禁煙 してるん ですよ
おっと しまった
すみません ねえ！ 全然 気が つきませんで 本当にもう
い… いや そう 気を 使わんでいい

すてる前に最後の一服
どうもたばこ飲みは意地きたなくていけないスねははは
そ…そうだな
ほう働き盛りの中年胃ガンでバッタリ!
ドキッ
パラッ
中田に5年!
VS500
部長!みてくださいこの死んだ人部長と同い年!
グイ
わかったわかった
よく みると顔も部長に似て……
先輩!
あら今日は愛妻弁当なんですか?
店屋物は胃によくないからな消化のいい物を作ってもらったよ!

部長！
私も この本 読ませて いただき ましたよ
また きやがった
エビ カニ イカ タコ 貝など いけない らしいですね ほかに 天ぷら カレー 肉 なども ダメッ
その とおりだ
部長の 大好きな この エビ天
これなど 絶対 たべちゃ 体に悪い ですよね
この なんとも いえない 味が…
ぱくっ
う…うまい
舌に とろける 甘さ… エビの こうばしさが 口の中に う～～む
ポリポリ
次に このホタテの 天プラ
おお お……
感動的な おいしさ
モグモグ

よしなさいよ先輩！
なんだよなにしたっていうんだ
わしは部長の胃腸病を治そうと努力を！
陰険なやり方ね！
亀有公園前派出所
どうもお疲れさまでした
よろしくたのむぞじゃあな
部長！
うわっ
なんだ！もう 仕事は終わったぞ帰れ！
一身上のお話を ぜひ部長に聞いていただきたいのです

わかった
話して
みろ！
こんな
ところで
とんでもないっ
ぜひ　ふたり
きりで
聞いていただ
きたいので
あります！
部長
かわいい
部下の
たのみ
ですよ！
部長
わ
わかった
よ！
じゃ
近くの
喫茶店
で………
いや
だめです
私の
きめた
店で！
部長さん
連れて
いかれ
ちゃったわ
先輩も
しつこい
からな
すし
すし
すし
なん
なんだ
話と
いうのは…
まあ
まあ
あわて
ないで
ゴシ
ゴシ

しまった!!
うわっ
部長は魚介類全部じゃないですか! 厳禁
ああ…
すみません! 部長しらぬ事とはいえすし屋になんか誘ってしまって!
まあいいよおい
板さんこの店魚介類以外どんなのがある
以外か… タマゴ焼きとカッパ巻き…ぐらいだな
キュウリも胃によくないからタマゴだけねこの人
へい
それと日本酒のおいしいところこの人にはバヤリースオレンジ一本
へい
どうもすみませんね私だけこんなにたべて
な…なに治療中の身だからなわたしははははは

みてください このトロ 脂が のってて 今 一番 おいしい時
う… うまい!
思わず 口の中が パラダイス
部長 お酒 どうぞ
うむ
おっと いけねえ
部長は 禁酒中 だっけ!
すみま せんねえ 私だけ いただいちまって!
キュッ
うっ! こりゃ まいった
ピシャリ
こんな おいしい酒 初めてだよ
人間 たべたい時 たべたい物を たべる! これが 一番 ですな
部長も どんどん やって くださいよ もっと タマゴ焼き たのみま しょうか?

部長は ウニが 大好物 でしたよね
まあな
ほおら この山盛りの ウニ たえがたい おいしさ ですよ
ゴクリ
……ひと口で!
パク
う…うまい なんと ゴージャスで オリエンタルな 味なんだ
板さん 私にも ウニひとつ
な… なんて事 いうんですか 自殺する気 ですか!
ひとつぐらい 大丈夫だよ
いけません 私が かわりに たべましょう
あっ
サッ
う〜む 頭の先まで デリーシャス おじさん まいった!
この世で こんな うまい 物が あっていい のだろうか?

ガタッ
さてと………
ふう うーっ
たべたあとの一服は最高だ!
部長!ハイライトですがどうぞ!
さあえんりょなく!
おっと!いけねえ
部長は禁煙中たばこは体に悪い
それにしてもうまい酒だ
トクトク
この色なんともいえませんね
コト
部長ちょいとトイレにいってきます
そうか

スイスイ スイと きたもんだ
バダッ
はばかり
まあ……
ほんの ひと口 くらい なら……
ぶちょう
ぎゃっ
どうしたん です そんなに 驚いて
ずいぶん 早かったじゃ ないか
あれ! 酒が 減ってる
まさか 部長が 飲んだり………
し しらんよ わしは…

そうですよねえ 男が 禁酒と いったのを やぶるなんて できません よね
はは そうだ とも
ところで 一身上の相談 というのは なんだ? 用が なけりゃ 帰るぞ
はい わかってます
じつは 私は 5年前 に……
うむ
ここは 場所が悪い 別のところへ いきましょう おあいそ!
へい
ずり
どこへ いく気だ 今度は?
ちゃんと きめて あります
ごちそう さまでした 特上ずし おごって いただき 感激です!
ス
サムタイム
BAR
GV
ロミオ
女子高生コンパ
楽しいところで〜す♡ ウフ♡
R&B
2,000円 ポッキリ
たちをご指名下さ〜い

★週刊少年ジャンプ1983年12号

イライラ狂太《きょうた》の巻《まき》

母さん いいよ 子どもじゃ あるまいし 大学生だよ ぼくは…
おまえの 短気を なおして もらうんだよ
ぼくは別に 短気じゃ ないよ！ もう！
カフェ HONDA
いたっ
大丈夫 かい？
なんで 看板が こんなとこに あるんだ このやろう！
てめえーっ ふざけ やがって！

ぐおっ
りゃあ
ーーっ
ガタッ
いて!!
この〜〜〜っ
大安売りの
竹竿めえーっ
メキ
メキ
いてえじゃ
ねえか!
くそおっ!
ばかやろう
みんなで オレを
バカにしやがって
!!
うおおおっ

狂太《きょうた》おちつきなさい！
さわるとぶっとばすぞこのやろう!!
うーさぎおーいしかのォ山ァ♪♪♪
はっ
ピクッ
小ぶなつーりしかの川ァ♪♪♪
なつかしいなみよちゃん！今ごろどうしてるかな……
母さん呉服屋のくにちゃん元気かねえ？
ああ元気だよさあいこう
ななんなんだあの人は？
ゴジラみたいな荒れ方だ
不動産
プラム

両さん いるかい
あっ 寿司屋のかみさん！
ボーナス全部使っちまったんだよ もう少し待ってくれ 今年の夏のボーナスには絶対………
今日は借金のとりたてにきたんじゃないよ
うちの息子さ しってるだろ
どうも しばらくぶりです
ピク
今日は会社休みなのか？
まだ 大学いってるんだよ
まだ？ 今年でもう8年目だろ？
毎年 卒業の時期がくるとイライラしてね 今年は 特にひどいんだよ
両さんに短気を治してもらいたいんだよ ぜひとも！

短気に
かけては
わしも人一倍
すごいぞ
それ以上
だよ
あの子は…
ギイ…
バタッ
ギイ…
ピピッ
バタッ
ビビビビッ
うおおおーっ!!
ギイ…

このロッカーめ ふざけるな てめえ!
おっ なんだ!?
また始まった
おこってるのか?
でいっ
すごい荒れ方だな
今止め方を教えるから…
うわっ
やろう くらえ!

ポッポッポ ハトポッポ 豆が ほしいか そら やるぞォ ♪ ♪ ♪
はっ
母さん 床屋さんの よしひろちゃん 元気かね
ああ 元気だよ おちついた かい？
それじゃ おいて いきますので よろしく
おい よろしくったって！
また あばれたら どうする んだ!?
童謡を 歌えば おとなしく なります
童謡 かよ……
それで おさまらない 場合は しりとりでも やってください
手間が かかるな
やれやれ とんだ役を 引き受けち まったよ
ぼくの方 だって 迷惑 ですよ
汚れた英雄

だいたい短気なんてのは治るもんじゃねえよ!
ピクッ
だれが短気ですかぼくはがまん強い方ですよ
よくいうよ
まあ大学に8年間もいるところはがまん強いともいえるな
ピクピクピクピク
あっ
うるせえなこのやろうてめえ!
死ねっ!!
えーとなんだっけ!
あっ! 童謡だ 童謡!
ピタッ
もしもしカメよカメさんよォ

すいません ぼく 何か しましたか?
したよ! 十分に
時限爆弾 みたいな やつだな おまえは
日ごろ すごく ストレスが たまってる もので
家で勉強 なんかしてる からだ!
散歩 しよう 外へいこう
そう ですか
どうだ 少しは 気分が 晴れるか
ブロロロ!
あまり かわりま せん

ブロロー・・・
どけ どけっ
パッ パッ
おい おちつけよ！
ピク ピク
道のはし歩け！ボンクラ
うおおっ
どこを 歩こうと大きなお世話だ！このやろうーっ
うわっ 何をするんだ！
グググッ

てめえ！にげるなっ
ひいいいっ！
ぶっ殺す!!
ぎゃあーっ
ひっ
おい！しりとりやろう！
カメ！
なにィ カメだと！
メダカ！
えーと カキだ カキ
キ… キリン
「ン」がついた！おまえの負けだ！

なんなんだ
あいつらは……
本当に
気が 短いな
おまえは
そ
そうですか?
やはり
男は
耐え忍ばんと
いかんぞ!
高倉健《たかくらけん》を
見習え
あれこそ
男の美学だ
男任侠
網走番外地《あばしりばんがいち》
シリーズ
全部みました
ぼく!
あの 耐えて
耐えて…
ラストで悪玉を
ぶっ殺すところが
心を打たれる
わかるな
では
さっそく
実験して
みよう
ド!
無口さも
大切だ!
ゴルゴ13を みろ
近ごろでは
セリフが
全くない!
なるほど
わかり
ました

てめえ
なんて事
しやがる!!
ばかもの
耐えろ
耐えるんだ
!
うっ
た
耐えましたよ
ほら!!
よし!
では
もう一度
ドッ
うわっ
ちくしょう
今度は
頭にきたぞ!
未熟者め!
まだ 修業が
足らんぞ!
何やってるんだ
あのふたり
COFFEE & TEA
HONDA

こんなのはずかしいですよ！
それはわしが 開発した怒り防止用バンドだ それをしてれば安心だ
昔 はやったエジソンバンドみたいだな
アニキハイジのセル画買えてよかったですね
うむ！さっそくベッドにはるぜ がっはははは
ドン
あっすいません！
しゅわっち！
さすがアニキ弱い者には強い！
がっはははは オレは 気が短けえからな！

おっ
ドッッ
バトルフィーバー
くそ！
ピクピク
うおお
頭が
頭が……
頭に血がのぼるとしまるぞおちつけばなおる
あいたたたた！
ドーン
ん
ゴーグルファイブ！
ピクピク
ピクピク

うおおおおおっ!
うわっ バンドが 切れた!
ぎゃっ

ガカッ
ちょうちょ ちょうちょ なのはにとまれっ
アリさんと アリさんが ごっつんこ
はい！しりとりぼくから！
かぼちゃ
ガッ
こりゃ実力で阻止するしかなさそうだ
ぎゃあーっ
やめんか この大学8年生！
うおお！ますます頭にきた！
うわっあああ

★週刊少年ジャンプ1983年８号

ハイドの巻《まき》

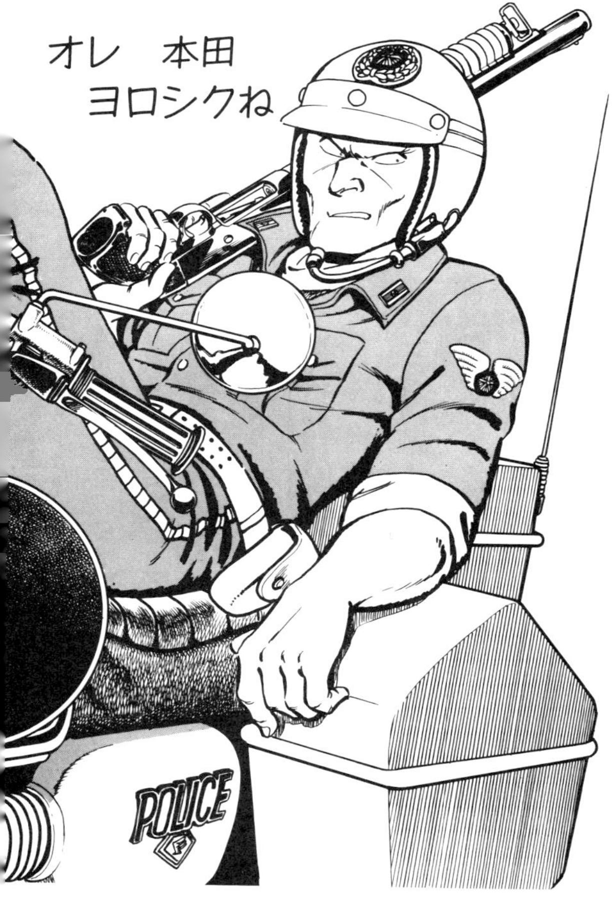

ジキ
ルと
CIBIE

葛飾警察署
第七交通機動隊本部
ドーン‥
本田が帰ってきたようだな
うおっりゃあ
ドオオオッ
ガオム

おい どけどけ!
ひき殺すぞっ
ヴオオオッ
ガゲゲゲッ
パッ
ふにょっ
じゃねっ♡ みなさん お先にっ♡
ああ
ナヨ
ナヨ
今日も2500キロ走っちゃった おほほ♡
くね
くね
まったく えらいかわりようだな
まったく

水元荘
今日は両さんがくるっていってたから
カーン
コーン
早く帰ってないとうるさいからあの人は…
HONDA
カチャッ
あっ
HONDA
よう 早かったな
ポリ
ポリ
ドギューン
ズガガガ
ズギューン

早く着きすぎてな中でまたせてもらった
ボリ
ボリ
カギしまってたのにどうやって入ったの？
なーにロープを使って窓からちょいとね
ドロボウとかわらないよおそろしい人だ
そうだ両さんおなかすいたでしょ何か買ってこようか………
いやいいよ……
えんりょしなくていいから！お弁当たべたいでしょねぇ
しつこいなじゃあ買ってこいよ！
おかしいななんで弁当なんかすすめるんだ？あいつ
バタッ
すみませーん
いらっしゃいませ！
愛情弁当
TEL 000-0000
250円
350円
400円
500円
500円
700円

いらっ しゃい!
あら 今日も 買いに きたの?
はい! 幕の内弁当 ふたつ ください
ここの お弁当 おいしいですね 最高ですよ
どうも ありがと
えーと 幕の内 4つ だっけ?
あっ そう! 幕の内 4つ!
はい 1600円です
はあ
350円
あっ それじゃ カツ弁当も ひとつ 買おうかな?
はい 500円です
250円
350円
えーと それから ミソ汁を ふたつ……
…………
なーに? まだ 何か あるの?

なんだこれは！
ひとりで4つもたべるのかよ！
両さんなら大丈夫だとおもって…
たべられない事はないがな 同じのばかり4つも買ってきやがって何考えてんだ！
この店のお弁当はおいしいよ
なにしろ愛情をこめて作ってるからね
読めたぞ！
おまえ弁当屋の姉ちゃんにホの字だな！
ドキッ
えっ
近ごろ派出所にまで弁当を配りにきてる原因はそれか！
鋭い推理力！

なん度 ふられても こりない やつだなあ… 寅《とら》さん シリーズに なっちまうぞ
そんな事 いったって…
おまえは 女を みる目が ないんだから
先輩なら なんとか してくれますか
女殺しの ナイスミドルと よばれる わしが 力に なって やろう
お願い します!
愛情
のり弁当
250円
しゃけ弁当
350円
どう でした?
ダメ ダメ
三原商会
TEL 0123-56789
すでに 好きな 人が いるらしい
ガーン
えっ!!
毎朝9時に ここを 通る 白バイ隊員に あこがれてるん だとさ! あきらめろ
ううう… ぼくも 白バイ隊員 なのに……

朝9時に通る?
ぼくも毎朝9時にこの前通りますよ!
本当か?
TEL 3-56789
会
ねえちゃんちょっと
えっ
さっきいってた白バイの男これじゃない?
その人いつもうちに買いにくる人じゃない
そう似てないかなこいつ?
スリムな感じは似てるけどね顔は もっとひきしまってるわ
いつも腕まくりしてマフラーなびかせてかっこいいのよあの人は……
250円
お茶 50
サラダ 200
タマゴ 50
味噌汁 50
ライス 150
ライス 150円
やだあ悪いけど全然ちがうわよ
やっぱだめだおまえ

いつもおこった顔してるやつか？
そうねおこってるような……
ぼくだ…それ……
やった！バッチリだ！
その男がこいつなんだよ本田だ！
だから顔がちがうのよ……
こいつはバイクに乗ると変身するんだよ
え その人バイクに乗れるの
現役の白バイ隊員だ交機の中でもピカ一だぞ
うそォーっ てっきり学生かと思ってた…
よかった！今度聞いてきてくれる 毎朝 この前を通るカッコイイ人の名前を！
あの…だからぼくなんです この前 通るの…
350円
ライス 150円
あなた白バイ隊員なの！
はあ 一応取り締りやってます

400円
サケ弁当ひとつ
あっはい！
350円
じゃ悪いけどたのむわね お願い
ははあ
ばかか！おまえが本人だろうがしっかりしろ！
自分でもわからなくなっちゃった
けっきょくふられたのか好かれたのかどっちでしょう？
う～む複雑な問題だな
おまえバイク乗ると別人になってしまうからな
そうですか自分では全然 気づきませんけど…
バオオ
なんだ？

宇巣根《うすね》ちゃん むかえに きたぜ!!
早く でて こいよ おい!
このアパートの仲間をむかえにきたんだよ
人騒がせな連中め
こい! 注意してこよう
えっ ぼくも!
あんたらアパートにオートバイとめちゃこまるよ
なんだとっ
大家のうるせえババアだ!!

家賃払ってりゃ文句ねえだろ
クソババア
こらっなんて事するんだ
あっ警官だ!
やっちまえ!
カンナ命
おっと
あっ
どりゃあ一本背負い!!
ぎゃっ
本田何してるんだ!
ぼくこわいよ………
とにかく乗るんだ!
あっ

ふふふ……
ひいっ大魔神!!
どけい!
ぎゃあ――っ
この甘ったれどもがあ――っ
ひゃあ――っ
ぎゃあ――っ
ひいっ

強いぞ逃げろ!
おう!
あっ
ドガッ
ぎゃあ——っ
このやろう!
ひいい——っ
あの人本当に本田さんなの?
いつもながらすさまじい変貌だ!
SUZUKI

いらっしゃいませ!
愛情 弁当
TEL 000-0000
いいか バイクから おりるなよ
わかって いるぜ
ドドッ
よう!
あっ
あの フニャフニャ した人から 聞いたのね よかった
いや そうじゃ ねえぜ!
どうしよう 恥ずかしい わ………
つか つか
あ… あら
えへへ どうも 会いに きちゃい ました

今日はふたりできたのね
あの人はどこ？今いたのに？
あのここですここ！
だめだ本田！バイクおりちゃ
ははい！
キリリッ
パ
あっ
みての通り同一人物でしょう！
信じられないわ声まで変わるなんて…
バイクにゃ女は乗せねえ主義だが…娘さんこのオレに命あずけるかい？
ええよろこんで！

勤務がハネたらCBX《シービーエックス》でむかえにくるぜ!
あばよ!
愛情
まくの内
350円
400円
うおりゃあーっ
かっこいいわ
わしも同一人物とは思えなくなってきた
…てなわけで今回はなんと相思相愛の仲!
じつにすばらしい話!
やったぁついに本田さんにも春がきた!
よかったわねいい人みつかって!
禁煙

★週刊少年ジャンプ1983年23号

ポイントの巻《まき》

ターニング・
仕上げに このデカールを…
きれいに はりつけて…

やった!ついに完成だ!
これは最高の傑作だ!!
Benelli
750
X-20
外国製だからバリが多くパーツがひんまがってたり大変だったが
こうしてみると じつにすばらしい!私の技術は世界的だ
よくできてますね先輩ちょっと…
こらっさわるんじゃない
バイクのプラモはもろいんだぞ!
作品はこのように近くでながめ楽しむものだこれがプラモ道だ
そんなきびしいものなんですか?

ちょっと トイレに いってくる からな
いいか その作品に さわったら 打ち首 ものだぞ
ふだん 大ざっぱな 性格のくせに よく あんな こまかい事 やるわね
先輩の 七不思議の ひとつだよ
やあ おはよう!
おはよう ございます!
昨日 整理した 書類が 重くてね まいったよ
グシャッ
部長 戸棚に しまって おきますよ
そうか すまんな
ん!?
なんだ このゴミ は…?

両津のやつだなまったく
だらしのないやつだ!
あっ部長!おはよう
めずらしく早いな!? どうしたんだ!?
夕べからきてますよ徹夜でちょいと仕事してましてね
雪でもふらなけりゃいいがな
心は上天気で……
あれ?
おいっ中川!さわったろ!
しりませんよぼくは…
おかしいな…たしかここにおいといたんだが……
道具もみんななくなってる
どうかしたのか両津?
ちょいと私のつくったバイクのプラモが突然 消えてしまいまして…

バイクはしらんがゴミはその中にすてたぞ
ゴミ!?
自分の机の上はキチッとしなけりゃいかんぞ
ぶちょう——っ!!
な…なんて事するんですか! 高価な外国製プラモを!!
し…しらんよ わしがみた時はすでにゴミ同ようだったぞ
私が 徹夜で苦労してやっと完成した品ですよ!
汗と涙の結晶ですよ!
そんなに大事ならこんなとこに置いておくなっ
ここは職場だぞ!!

だいたい おまえは 仕事中に プラモを つくるなど けしからんぞ!
仕事中 自炊はするわ 昼寝はするわ テレビは みるわ ここは おまえの家と ちがうんだぞ!
もっと 勤務に自覚を もって 働け!
口論では 部長の方が 上だよ
おまえみたいな ムダめしぐいが いるから 東京都の 財政が悪化 するんだ! 諸悪の根源 め!!
漢字を ならべ やがって ちくしょう
あっ
それを いっちゃあ おしまいだよっ どうせ オレなんか 警視庁《けいしちょう》の 寄生虫だよ!
わかったよ 警官なんて やめてやらあ!!
元もと 警官なんて オレにゃ あわねえ 稼業だ!
両ちゃん!
とめるんじゃ ねえぜ! オレは いくからなっ

先月 プロパン代 3か月分 たてかえて おいたのよ あとで ちゃんと 返してね
じゃ もう二度と ここの敷居は またがねえ からな！
あばよ！
本当に いっちゃった！
いいんですか 部長！ とめないで…
ふざけやがって ちくしょう 警官なんて 未練も ねえや！
絶対 もどらんからな
今年の ボーナスは すごいな
まったく うちの会社は 景気が いいからな
あっ しまった！
明日は ボーナス日 なんだっけ

あやまって ボーナス もらおっと
この日の ために半年間 がんばって きたんだから な!
いかん! あれだけの タンカを きって きたんだ!
これで もどったら 男のめんつが 丸つぶれだ
しかし 食生活 安定のため やはり ボーナスを………
いかん 金より 男としての プライドを! ここで グッと こらえてこそ 男の姿……
しかし 金が…
いや いかん
えっ 先輩は 自分から もどって くるって?
その 通り! 明日は なんの 日だと思う? ボーナス 支給日だ!
でも あれだけいって でていったのよ そんな事で もどるかしら?
おまえたちは まだ 両津を 理解していない
あいつは 金のためなら プライドも かなぐり すてる そんな男だ

おや？
サッ
今 先輩らしい人影が…
みろ！ いった通りだろう
あいつはバカだが 給料日と ボーナスは 忘れんからな
なんかはいりづらそうね 両ちゃん
そりゃそうだよ 5分前にでていったばかりだからね
ちょっと わたし つれてくるわ
両ちゃん 何してるの そんなところで…
あっ しまった!!
忘れ物したかと思ってなじゃあな
まちなさいよ 中にはいったら
もう 部長もおこってないわよ 大丈夫だからもどってきて！
そ そうか おまえが それほど いうなら

いや どうも 麗子が もどれ もどれと うるさいもので つい 情に ほだされて…
は…はは…
よく いっとる よ……
ボーナスを 思いだして もどって きたんだろ
えっ 明日 ボーナス?
そ そう でしたか? 気が つきま せんでしたな じつに 偶然で…
しらじら しい
ピク…
たかが プラモの事で おとなげない やつだ まったく
たかが…とは なんですかっ プラモを 完成させるのは 大変な労力と 高等技術を…
プラモなど 子どもの 遊びだ! 30すぎて そんな物!
30すぎてようと 大きなお世話だ! 人の趣味にまで 文句をいわれる 筋あいはねえ!
同じ趣味なら もっと 高等な 物にしろ! 盆栽とか 囲碁の 方が よっぽどいい
そんな物 死にかけた じじいが やるもんだ
なんだと こいつっ!

もう 説教など たくさんだ! オレは オレの 生き方で 生きるぞ!
今度こそ 本当に もどって こない からな!
両ちゃん 明日は ボーナスよ
そんなもん くれて やらあ!
あいつが 金に 目を くれずいった これは本物だ
おい 中川 急いで つかまえて こい!

まいったなあ……
これからどうしようかな……
キィ
キィ
実家にもどったらぶっ殺されるかもしれないな……
とにかく働くところをさがすか
キーキー
亀有《かめあり》公《こう》共《きょう》職《しょく》業《ぎょう》安《あん》定《てい》所《しょ》
亀有公共職業安定所
雇《こ》用《よう》保《ほ》険《けん》適《てき》用《よう》促《そく》進《しん》月《げっ》間
駐車場
15M
けっこうこんでるな世の中不景気だからな

えーっ
両津
勘吉《かんきち》
さん
保険受取りの窓口へ
はい
以前 お勤めになってた会社をおやめになったのはいつごろですか?
15分くらい前です
どういうご理由でおやめになったのですか?
仕事中プラモをつくっていて上司におこられてそれで……
何か特殊な技術などおもちですか?
早メシ早グソぐらいですかね
そうだ!! テレビゲーム得意です! プロなみの技術と自分では思ってます
それはあまり役に立ちませんな
それでは該当する仕事を調べてみましょう
ファッションモデルでもいいです 仕事を選びません
できれば月給は手取り40万位で家から近くて20歳くらいの女の子がたくさんいる職場がいいんですがね
そんなのありませんよあんた!

これはどうです
立石《たていし》にあるフロ屋のボイラーマン
手取り12万円
だめ！熱いのきらい！
冷凍食品工場の大型冷蔵庫の霜とり作業
固定給10万円
だめ！さむいのきらい！
新小岩《しんこいわ》の友倒《ともだお》れ有限《ゆうげん》会社《がいしゃ》の事務
給料８万円
字かくのだめ！めんどうくせえから！
ぜいたくいっていては職はみつかりませんよ
本当になんでもいいよ！ぜいたくいってないぞ
ちょっとそのノート貸してみろ
え　これを？
職場なんてどこも似たようなものだ
これがあたったところに就職する！
そんなムチャな！

よし ここだ これに きめた！
いいんですか 本当に？
今日から うちの工場に 新しく はいった 両津さんだ
以前は 大蔵省《おおくらしょう》に 勤められていたが わけあって やめたそうだ
みんな よろしくな
どうも 天下《あまくだ》りで やってきた 両津です
変わった 天下りを する人だな

この4か所ハンダづけしてとめる
そしてまたコンベアの上にのせるわかりましたね
はあなんとか
次つぎときますからテンポよくお願いしますよ
できるだけ努力しましょう
ゴ
えーとここと ここと…ここ…
あとひとつはえーと
主任 あとどこでしたっけつけるところ…
こらっ持ち場をはなれちゃいかん!
次から次と品物がくるのにはまいるな
これじゃ休むヒマもないよ

あっ いけね 流れていっちゃった！
おい！ それ とってくれ だれか！
何するんですあんた！
はい ちゃんとみてないとダメよ
こりゃどうもへへへ まだ新米なもので……
所変われば品変わる 職場の花はいるものだ
仕事にも精がでてきたぞ！
ギリッ
こりゃこの工場でがんばらにゃいかん
今にこの仕事で身を立てて社長となる
ああいう美人を嫁さんにしてぐふふ……

あんたさっきからずっと流れてるよ！
あっしまった！
ちょっとまてこら！
うわっ
ドドド
きゃっ
よし！ここまでだ！
ゴゴ
うおっ
ぐわっあたたた！

★週刊少年ジャンプ1983年２号

シティ・ライダーの巻《まき》

スーパーブランドモトカンパニー
DUCATI
MOTO GUZZI
KAWASAKI
田輪業
カワサキ特約店
(603)241
すげえビルが隣にできたな
バイクブームだからな今は……
ギッ
営業妨害じゃないのか商売にひびくだろう
うちと外車ショップじゃ客層がちがうからね営業には関係ないみたいだよ

うちみたいな旧車ばかりのバイク屋に買いにくる人なんか
よほどかわった人だからね
それはいえる!
スーパー57型 125
隣のバイク一台分でうちのバイクなんか10台も買えちゃうよははは
大きなお世話だこいつ!
パカ
いてっ
高けりゃいいって物じゃねえぞ! 安くてもいい物はいい
だって隣のバイクは一台200万円ぐらい……
200万だと! そんなもんバイクの値段じゃねえ!
ぼくにいってもしょうがないよ
うちのを見ろ! 250c.c.《シーシー》の新車が17万6千円だ
時代がちがうんだよ それは当時の価値でしょ
メグロ
オートバイ
予約受付中
スタミナ
メグロ F型

キキッ!
おっ なんだ!?
カワサキ サムライ スーサイクル
MACH III
SAMURAI 250
この店の客じゃねえのか?
まさか? 外車でくるなんて…
オートバイ売ってくれ 一番大きいやつ!
なに!!
ズイッ

あんた単車に乗れんのか？
もちろん免許もちゃんとある
カワサキ スクーターKB-II
なんだ昔の免許証じゃないの
オマケで自動二輪がついてきたやつか…
早く返しなさいきみィ！
とにかくでかくて派手で注目されるような目立つやつをくれんかははは
気に入らねえな！
カワサキ ペットM5
なんだと客にむかってなんだそのいい方は
文句あるならさっさと帰れ！
社長外車ショップは隣ですここはちがうようですよ
そうか！どうりでボロい所だと思ったよ
グッドデザイン
カワサキ ペットM5
わしは高級バイクしか興味がないからながっははは
なんちゅうやつだまったく
いるんですよああいうのが

オートバイ売ってくれ
ビ――ン
これはこれは…
ようこそいらっしゃいました！
どうぞおかけくださいどのバイクをおさがしですか？
なんでもいいとにかくでかくて目立つやつ
社長これなんか大きくていいですよ
よしこれにきめた

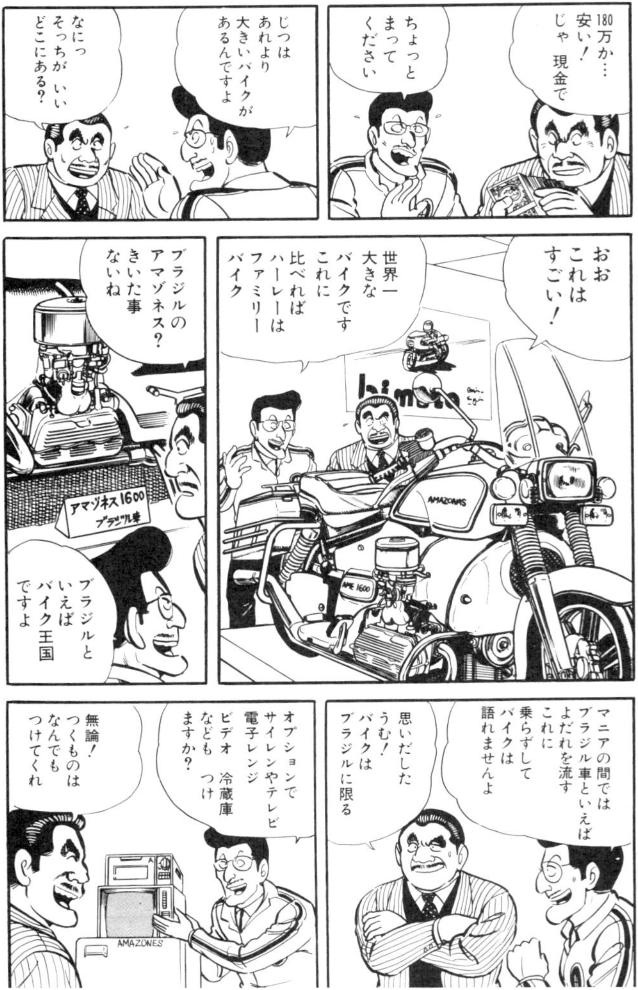
180万か…安い！じゃ 現金で
ちょっとまってください
じつはあれより大きいバイクがあるんですよ
なにっ そっちが いいどこにある？
おお これはすごい！
世界一大きなバイクです これに比べればハーレーはファミリーバイク
AMAZONAS
AME 1600
ブラジルのアマゾネス？きいた事ないね
アマゾネス1600 ブラジル車
ブラジルといえばバイク王国ですよ
マニアの間ではブラジル車といえばよだれを流すこれに乗らずしてバイクは語れませんよ
思いだした うむ！バイクはブラジルに限る
オプションでサイレンやテレビ電子レンジ ビデオ 冷蔵庫なども つけますか？
無論！つくものはなんでもつけてくれ
AMAZONES

はっきりいって わしは オートバイに 乗った事がない 大丈夫かね
そりゃもう ちゃんと オプションも あります
高級補助輪 これさえあれば あなたも 今日から ケニーロバーツ
うむ よっしゃ よっしゃ
総額500万円 か…!? う〜〜む
何を お迷い ですか! これだけの オプションを つけているのは 日本《にほん》で あなただけ!
注目率300% あなたは 都会のスーパー スター
ズッ
よし 現金で 買った!
どうも ありがとう ございます
ドロロロ…
おや お宅 今日も ヒマそう ですね
うちなんか ハイクラスな お客さま ばかりで いそがしくて いそがしくて
イヤミな やつだ!

さて
今日も
始めるか
キュ
キュ
BMW
MOTOR SPORT
う〜〜むすばらしい光沢だ
MOTO-GUZZI
バイクみがきこの道5年!
外車は美しさが命です
キュ
キュッ
キュッ
むっ
こら こら!汚い手でさわるんじゃない!
子どもは3輪車にでも乗ってろ!
ダッ
TURBO

あー　あー
こんなに
手あかを
つけて！
だから
下町で
営業するのは
いやだったん
だよ
ワックス
かけなきゃ
だめだな
BMW
あっ
ガャ
ガャ
こらっ
やめろと
いうのに
！
BMW
うわっ

あいたたっ つぶれる!
だ だれか ーーっ!!
助けて くれーっ
なんだ あの声は
あーーっ ひどい!
何やってるんだ おまえ
すべって倒したんだ 助けて!
外車屋のやる事は さっぱりわからんよ
ふう 重かった
ぎえーーっ カウリングが われてる〜
倒れりゃ われるのが あたり前だ

ひとコケ30万円といわれる高級バイクなのに！ひえ～～～っこっちも！
そんな事より 早くおこせよ！
よいしょこいつは重い！くそっ
そうじゃないよ
こっち側からでもこうすれば楽にもち上がるよ
うおっすごい！
ヒョイ
HONDA
さすが白バイ隊のお兄さん！ついでにこれも！
よく それでバイク屋がつとまるよ
そんな不安定な所じゃあぶねえぞ
bimota
SB3
bimota
bimoTa SB3
¥5500.000
なにをおっしゃいますバイクもファッションですよセンスも売り物ですよ！

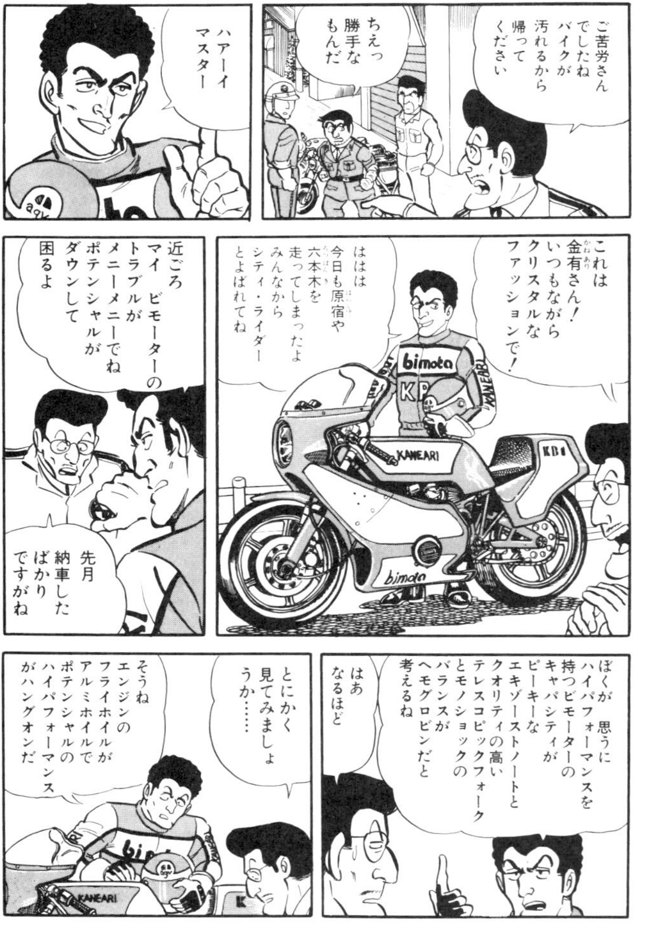
ご苦労さんでしたねバイクが汚れるから帰ってください
ちえっ勝手なもんだ
ハアーイマスター
これは金有《かねあり》さん!いつもながらクリスタルなファッションで!
ははは今日も原宿《はらじゅく》や六本木《ろっぽんぎ》を走ってしまったよみんなからシティ・ライダーとよばれてね
近ごろマイ ビモーターのトラブルがメニーメニーでねポテンシャルがダウンして困るよ
先月納車したばかりですがね
ぼくが 思うにハイパフォーマンスを持つビモーターのキャパシティがピーキーなエキゾーストノートとクオリティの高いテレスコピックフォークとモノショックのバランスがヘモグロビンだと考えるね
はあなるほど
とにかく見てみましょうか……
そうねエンジンのフライホイルがアルミホイルでポテンシャルのハイパフォーマンスがハングオンだ

ガソリンは はいってますよね エンジンの形は 全然 かわって ないけど……
おい 何やって るんだ
エンジンなら アンダーカウル はずさないと だめだよ
はずすと いわれても いつ どこで だれが どのように… どうやって…
父さん 隣の人 全然 メカが わかんない ようだから 手伝って！
ダメだ 外車など わしは しらん！
KB1《ケービーワン》は イタリア車 だけど エンジンは 日本製 なんだよ
なんだと そんなバカな 話あるか！
なんだ 見なれた Z《ゼット》1000の エンジンじゃ ねえか！
なおり ますかね おじさん
じゃまくせえ 風防だ へしおって いいか？
ダメダメ ひとおれ 数十万円
メキッ
仕事場へ もっていって 見て やるよ
はい よろしく お願い します

おっと
ガリ　ガリ
ぎゃあーっ
300万円の
ビモーターを！
いちいちうるせえなバイクはキズがつく乗り物なんだよなあ　あんた
坂道もトップでのぼる強力エンジン
SB-B
bimota
KB
ははは　まさにハイパフォーマンスなおことばで
おや？
何が始まるんですか？
道路工事だよ　回覧板でしらせがあったでしょう

や
やばい！
ドガガガガ
ひえええーっ
高価なバイクが
次つぎと…
ガガ
ガガ
ガガ
ガガ
どこか
場所
移さないと
ダメだぞ
ガガ
それじゃ
その
エレベーターで
2階へ！
グイイ…
ここなら
まだ 震動が
少ない！
助かった
ガガ…
なるほど
2階が
倉庫に
なってるのか

高い順に
2階に
上げましょう
手伝って
ください
商売
根性が
強いやつだ
これで
だいたい
避難
させました
よかった
よかった
ほとんど
やらなかった
くせに！
まったく！
ご苦労さん
バイクが
汚れるから
帰って！
帰って！
そういう事
してると
今にバチが
あたるぞ
うわっ

うわあ――っ
ひええ――っ
ズシャ〜〜ン
ガシャン
ひええーっ
バイクが!
ぎょえええーっ
ひろってくれ〜〜〜〜っ
スーパーブランドモト
バリン
ガシャ
ガシャ
ガシャ
ドシャ
うわっ

空から
バイクが
ふって
きたあーっ
また 隣で
何かやって
るのか!?
ハイ
パフォーマンス
が………
ぶつぶつ
メイハツ
125
なんだ
こりゃ
バイクの
建前でも
やったのか!?
ひえええーっ
グッチちゃん
ドカちゃんが
バラバラ!
うっうっうっ
まったく
あわれとしか
いいようのない
男だ!

★週刊少年ジャンプ1983年15号

マネーゲーム!?の巻《まき》
YAMAHA
YPVS

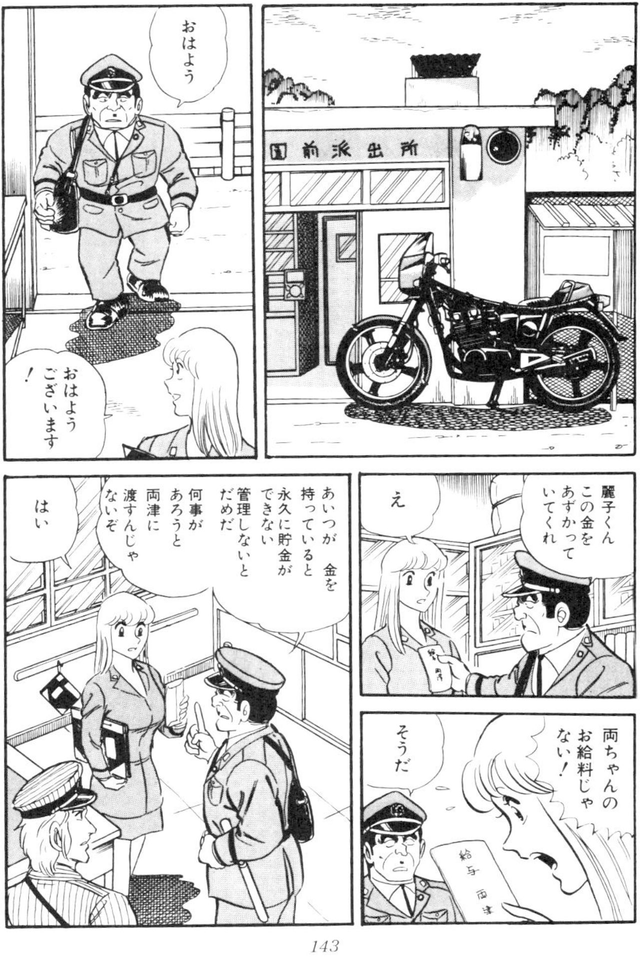
園前派出所
おはよう
おはようございます！
麗子くん この金をあずかっていてくれ
え
両ちゃんのお給料じゃない！
そうだ
給与 両津
あいつが 金を持っていると永久に貯金ができない管理しないとだめだ
何事があろうと両津に渡すんじゃないぞ
はい

部長!
私の給料袋はどこですか!
経理にいったら部長に渡したといってましたよ!!
わたしの汗と涙と忍耐の結晶はどこです!?
おまえの金は麗子くんにあずけた
麗子に!
このやろうオレの金返せよ!
てめえーっ人の金とりやがってこのアマ!!
きゃあ——っ
ばか者血迷うなこいつっ!
うおお——っ
わしの給料が!!

おまえの給料は今日からこっちで管理する
そんなばかな!
月10万ずつ貯金ボーナス時20万一年で160万円ためるんだ
自分の金なのに使えないなんてそんなアホな!
買いたい物があったらこの用紙に品物 金額 理由をかいて提出しろ!認めたらその額をだしてやる
区役所みたいな事させやがるなくそ!
先輩は金の使い方が荒いですからね
大きなお世話だこのやろう!
いたっ
凶暴になってきたわね
近よれないよ
部長かきました金ください
どれどれ……

なんだ? こりゃ…
だめだ こんなもん 認められん!
そりゃ ひどい
もっと ためになる 物を 買え!
ちぇっ ひでぇ なあ
まともに かいたら すべて 却下する くせに!
ようし それなら
部長 お願い します
みせて みろ
ばかもの なに考えて いるんだ おまえ!
ためになる 物でしょう 将来の ために!

1500万なんてどこからでてくるんだ!
私の給料の前借りですよ10年先ぐらいまでの!
生活に必要な物だけにしろ!
まったくもう
これで少しはムダ使いをしなくなるだろう
部長お願いします
ドスッ
こんないっぱいあるのか!?
悪いですか?
聖書だと? どうする気だ?
もちろん読むんですよ
ウソをつけ! おまえが読むはずないだろ!
ひどい! それは偏見だっ
部長外見で判断してはかわいそうですよ
そうよ

ずるがしこいやつめ まったく！
なんだ この「阿弥陀如来《あみだにょらい》」というのは…
私 御仏の心に関心がありましてぜひ 一体
神などいるはずない！と ふだんからいっとるだろ おまえ！
仏は信じるんですよ！ 仏は！
なに 美容院代 8000円だと
頭の中身は30円くらいのくせに！
これだけ認めてやる あとはすべて却下！
150枚かいて 3枚か……
苦労した割にはむくわれねえな
ほら 麗子 認可されたぞ 金にかえてくれよ
ちょっとかして！

OK だしてあげるわ
やった早くくれ!
はい500円!
ぶっ
どうして500円なんだよ
認可金額がそうなってるのよ
部長これじゃ聖書も買えませんよ
古本屋でさがせば買える!
阿弥陀如来だって金ぱくのすばらしい物は20万くらい…
おまえの得意なプラモで買えば安い!
阿弥陀如来のプラモなんかタミヤからでてませんよ部長
自分でやりくりしろ
500円ぽっちじゃ何もできないよまったく!

ドキッ
クルッ
なあ 中川 少し 金 貸してくれよ すぐ 返すから
だめですよ
なに! 上司として おまえを 育ててきた 恩を仇《あだ》で 返す気かよ このやろう
仇が どうか したの 両津?
いや! 中川くんの アダ名を ハンサム くんに しようかと はははは
ちくしょう まいった なあ
コロタン
ギャンブル百科
競馬百科
おっ
部長
ちょっと 仏像 買って きます

あいつ本当に買いにいく気か？
どうも変ですね
あら
ちょっとこれみて
えっ
サラ金のマッチだ！まさか？
あいつめ
えーと駅前にあるとかいてあったな

サラキン銀座
ずいぶんいっぱいあるんだな！
さあらっしゃいどうぞ
男はだまってサラキンローン
ダイナミック金融
みんなでニコニコサラリーマン金融
クレジットローン
中学生サラ
その笑顔で10万円 父さんサラ金
キャンパスローン
お客さん7時までサービスタイムどう一度入って！
お客さんうちの方がいいよ店員はオール女子大生！
おっここだここだ
ニューさわやかローン でっかい青春 TEL 60-1385

ずいぶん子どもが多いな
ガヤ
ガヤ
禁煙
でっかい青春
愛されるサラ金をめざして34年
おまえらも借りにきたのか?
近ごろおもちゃが高くてね
こう物価があがっちゃこづかいだけではとても!とても!
おそろしい世の中になったよな
明るいサラ金
店長警官がきました
なんざんす!?
でっかい

これはこれは巡査さん! 警ら中ですかご苦労ざんす!
じつは金を…
うちが暴利を!? とんでもないざんす うちはサラ金のキリストとまでいわれてますよ 年利20%
別にきいてないよ
なに! すると金返せねえのか!
はい予定がかわりまして…
山田《やまだ》くん!
きみはお客さまになんて口きくの!
ふだんはそうじゃないでしょ
どうも失礼いたしましたなんのご用でしょうか?
じつはお金の都合が……
お客さま水くさい! 出世払いでけっこうざんすよ ほほほ
しかしこの書類には今月中でないと利息が……

こんなのウソざんすよ いやですねえ こんなの信じちゃ！ おほほ
ビリ
そうですか すいません！
うちなんか ほとんど ボランティア 活動ざんす
わしにも ボランティア してくれる
そりゃもう おいくらでも 貸します わよ
やった さっそく 貸してくれ 20万！
おい！ 両津
ずん
ぶ 部長！ よくここが わかり ましたね
安い
クレジット
おまえの 行動など すべて おみ通しだ
こんな ところで 何してる まさか 金を……
と… とんでも ありま せん！
じつは この店が 悪どいという タレ込みが ありまして 調査に！
ひえ――っ なんて 事を！

さっきもみた通りうちは慈善団体ざんすよ
小学生にも貸してるだろうが！
なに？小学生！
あれはあげてるざんす！お子さまにプレゼント中で………
ねえ――っみなさんそうざんしょ
もちろんですよ店長！
はい次はだれかな？
わぁ
くれー！
本当にもらっていいの？
いいとも
わーい
ちょうだーい
さあつかみどりだよ
キャ
キャ
帰るぞ両津こい！
ははい
グイ
健康のため借りすぎに注意しましょう 日本専売金融

ただで配るバカどこにいるざんす!
店長がさっき配れと…
あれはことばのアヤざんしょまったく!
早く回収するざんす全部!
こらっおまえら返せ!
ちぇっ
ちょっと忘れ物
青春
みなさーんはーいお金ざんすよーーっ
かわいい子どもざんすね!
マジに仕事やれよ
もちろんざんす!
早く回収するざんす!
ガッ
もういやになるな!

えーと
全部で
2500円だよ
両さん
よし
ガチャ
オヤジ
小切手で
いいな
小切手!?
ほらよ
つりは
とっとけ
ビッ
こぎって
¥3,000えん
両津銀行
ちょっと
両さん
こんな物
ダメだよ
大丈夫
使える
よ!
たのむ
金管理
されて
一円も
ねえんだよ
まったく
困った
人だねえ
仕方ない
じゃ…
つけて
おくよ

そうか ツケだ!!
わしには「信用」というクレジットカードがあったのを忘れていた
年中ふみたおすくせによくいうよ
一か月後
YAMAHA
はや一か月か どうだ貯金の具合は!?
大成功よ 13万円もたまってるわ
やればできるものだな
このペースでいけば180万くらいいくわよ
やあ みなさん おはよう
パリッ
両津 がんばったな み直したぞ
いやあ なんのやる気ですよ

★週刊少年ジャンプ1983年26号

白バイ隊員《たいいん》・舞《マイ》昆《コン》クン!!の巻《まき》
まてっこのやろう!!

の巻《まき》
本田速人《はやと》の
バイクテクニック
★★コーナリング★★
①コーナーにガンを
とばす

白バイ隊《たい》員《いん》・舞《マイ》 昆《コン》クン!!

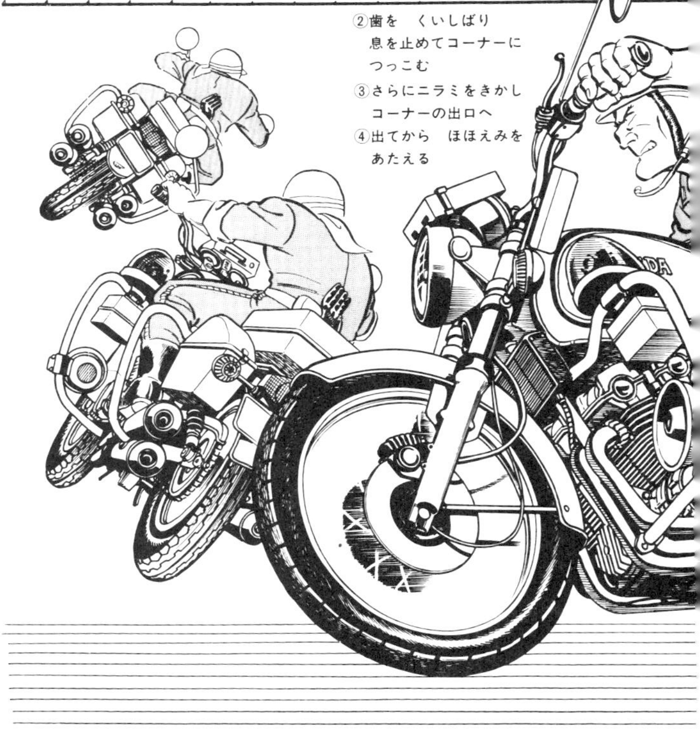
②歯を　くいしばり
息を止めてコーナーに
つっこむ
③さらにニラミをきかし
コーナーの出口へ
④出てから　ほほえみを
あたえる
DA

うおっ まだ ついて きやがる!!
やばいよ あのポリス ただ者じゃ ねえ!
あい ててて 押すな!
8人も 乗ってるん だから 仕方ないっ
もっと うしろに いけよ
あっ!?
ガチャッ

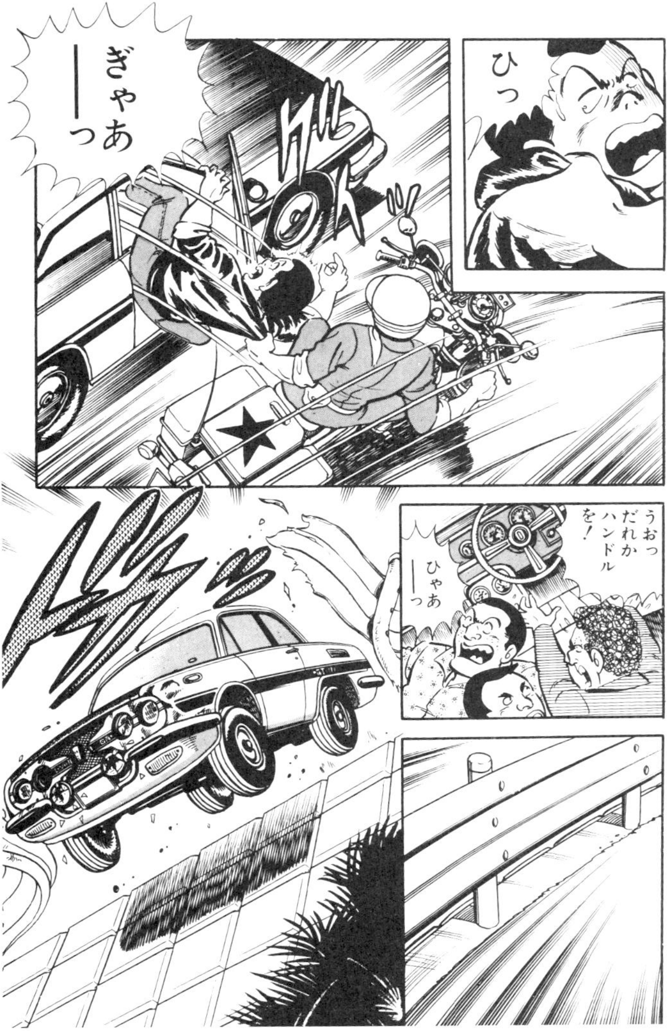
ひっ
ぎゃあ——っ
うおっ だれか ハンドルを！
ひゃあ——っ

信号無視
定員オーバー
スピード
50キロ
オーバーだ
ぎゃん
いや
正確には
52.03キロですよ
本田さん
なにっ
交通取り締まり
警察官は
正確で
なければ!
なんだ
おまえ!
私は…

交機の舞《マイ》です
現代ではそのスピードメーターでは信頼度がありませんよ
おまえか? 検挙率がトップだという新人の舞《マイ》昆《コン》というのは…
はい私はコンピューターを導入してますから
このように超過スピードが表示されなければね
POLICE

谷田《たにだ》 啓太郎《けいたろう》
これで
違反は
4度目だな
なんで
オレの
名前を!?
逃げ回っている
時に 車の
ナンバーを
コンピューターで
照会した
100メートル
離れていても
望遠カメラで
すぐ わかる
ピピ
カタ
カタ
5月21日
千葉県生まれ
父はサラリーマン
妹と弟の
3人兄弟の
長男か…
そんな
事まで!
住民票の
コピーが
インプット
されて
いるのだ
残りの
7人の
データも
そろっているぞ
CIA《シーアイエー》
みたいな
ポリ公だ
あれじゃ
逃げられ
ないよ
ちょいと
ひと息
入れないか
なじみの
派出所が
ある
いいですよ
たしか
亀有公園前《かめありこうえんまえ》
派出所《はしゅつじょ》でしたね

よく しってるな
本田さんのデータも入ってますよ 警視庁のすべての人がわかります
ちょっと待ってください 今 ナビコンて道路状況を………
水戸《みと》街道《かいどう》 青戸《あおと》が渋滞です バス通りからいった方がいいですね
どっちだって いいよ!
亀有公園前派出所
キイッ

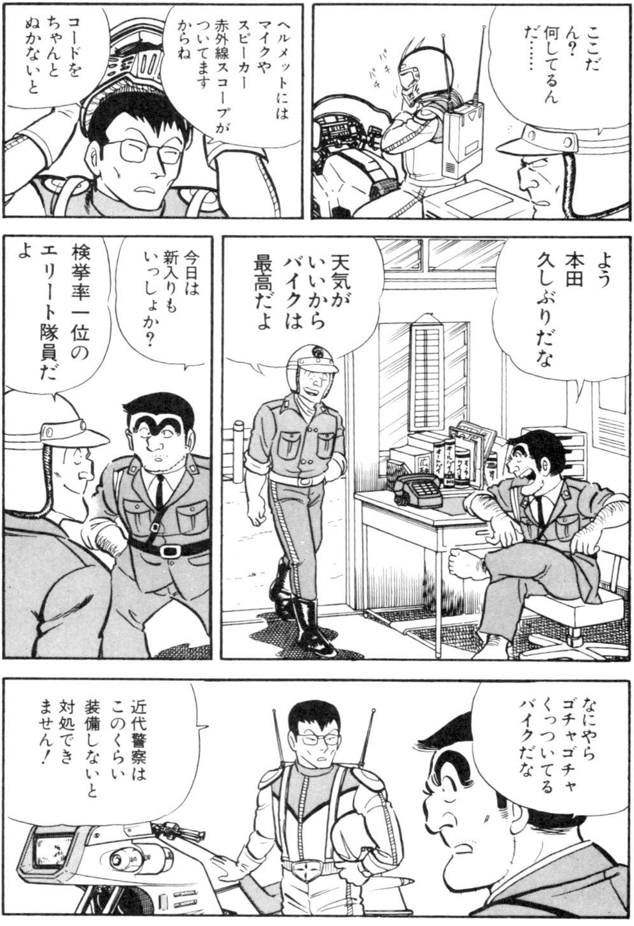
ここだ ん？ 何してるん だ……
パチ パチ
ヘルメットには マイクや スピーカー 赤外線スコープが ついてます からね
コードを ちゃんと ぬかないと
よう 本田 久しぶりだな
天気が いいから バイクは 最高だよ
今日は 新入りも いっしょか？
検挙率一位の エリート隊員だ よ
なにやら ゴチャゴチャ くっついてる バイクだな
近代警察は このくらい 装備しないと 対処でき ません！

やりましたね!!➡ 大図解 ★これがスーパーポリスバイクX《エックス》号だ!!

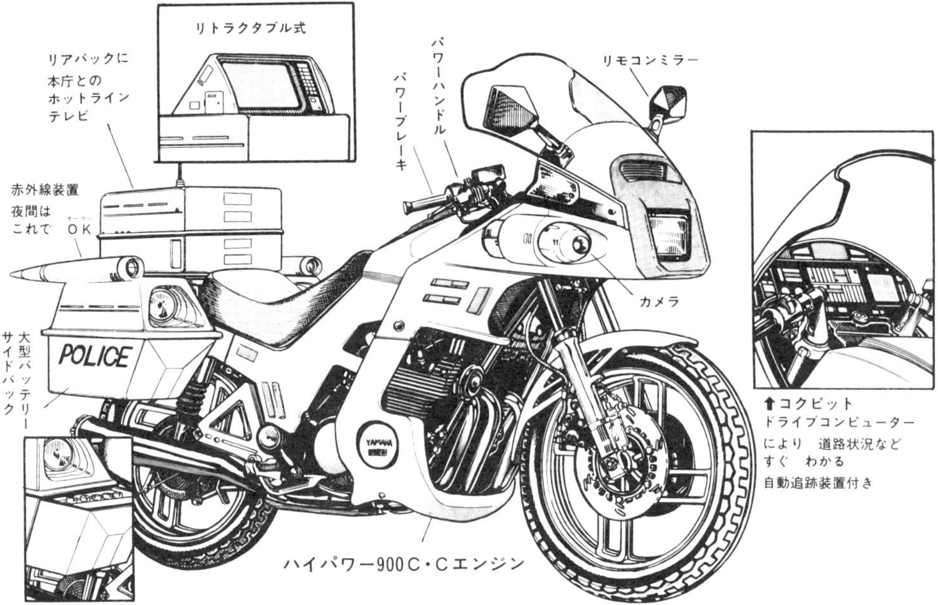

無論コンピューターによるオートマチック車です
ミッションのわずらわしさがありません
すべてコンピューターが……
また安全対策についても考えてます
近ごろ増えてる二輪事故をどうやって減少させるか
危険を感じた時はコンピューターが作動し自動脱出シートによって事故を防ぐわけです
余計あぶねえんじゃないか!
自爆装置みたいですね
緊急指令! 緊急指令
事件だ!!
ポコッ
サラ金に強盗だぜ 犯人の車はセレステ1600GSR《ジーエスアール》 ブタのステッカー付き
いたぞ!!

セレステ
1600GSR
ブタのステッカー付き
なんとわざとらしいストーリー展開だ
ホームドラマ並みだ！
おい本田！
相変わらず素早いやつだ！
何やってるんだ！おまえの方は……
今の車に追跡弾を打ちこみました

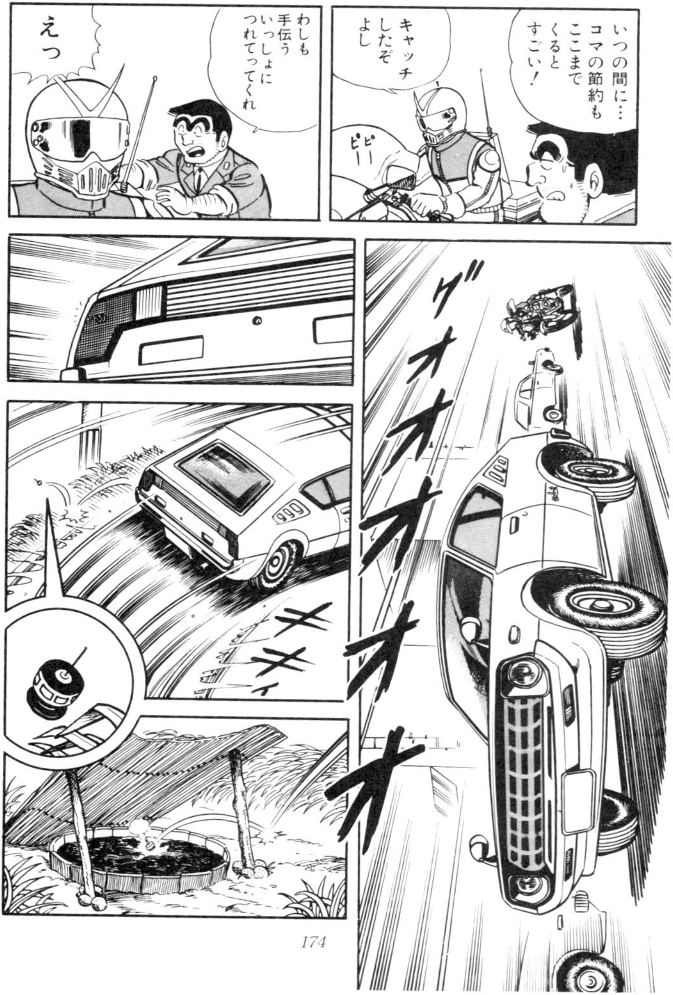
いつの間に…コマの節約もここまでくるとすごい!
キャッチしたぞよし
ピピー
わしも手伝う いっしょにつれてってくれ
えっ
グオオオオオ
キキキィ

犯人の車は 今停止しましたね
わかるのか？
このマシンがある限り逃げ切れませんよ
ピィー ピィー
おまけにオートコントロールでセットしておけば自然に犯人の場所へ走っていきます
手を放しても大丈夫なのかすごいな
ピピピピ
おいスピードがでたぞ！
うむ 犯人は近い！
ドドドッ
あっ

うおおっ前にナニが!!
ひっ
脱出!
ぐわっ
どうしてこれが犯人なんだ
私にもよく理解できない
OK了解

本田が犯人つかまえちまったのか？
おしい！マシンのトラブルさえなければ……
脱出装置が全然動かなかったじゃないか！
回路がこわれてしまったのかな？
カチャ
ジュポポ
ぐおっ
ガシャッ
YA O YA
八百屋
SUPAR YASAI SHOP
POLICE
なんだ!!
やややばい！
どうすんだこれ！
ドドド
ドド
POLICE
ドガッ

大丈夫ですか?
自動停止装置も付けておけくそ!
あ あれ?
どうかしたか?
バッテリーがあがってしまってる
コケたくらいであがるのか? たまらんバイクだな
パトカーよんでこいよ
コンピューターすべてが停止しちゃってます
おしがけしてみろよ
オートマチック車だからできません
今度はペダルでもつけとけよな リトルホンダみたいに!
帰り道がわからないよ どうしよう

★週刊少年ジャンプ1983年18号

の巻《まき》

三匹《びき》の用心棒《ようじんぼう》
亀有北口
カメアリシネマ
☆上映中

KING'S STORE
KING'S
この街も久しぶりだぜ

ギイーッ
じゃまだどけ!
ドヤドヤ
どけどけっ
ドカッ

おう 親父 バーボンだ
は はい
どうぞ
トン
てめえ──っ!!
バーボンだってのが わからねえのか!
ドドドドド
うわっ

おい
そいつは
バーボンだぞ
本当か？
バーボン
ですよ
それ！
なにっ
だれが
バカボン
だ！
うわっ
SHERIFF
SHERIFF ★
OFFICE
わんわん
保安官《ほあんかん》
WANTE
$50,000
なにっ
まむしの
兄弟が
帰って
きただと！

WANTED
それも
強そうな仲間を
いっぱい 連れて
きました
これじゃ
昔の無法地帯に
なっちまうよ！
う〜〜む
なんとかして
くださいよ
シェリフ
シェリフ
よし！
あの3人に
たのんで
みよう
ギギイ

ガチャッ
やあ シェリフ また ゴミが 集まったか
西部の ゴミさらい 3人衆が やってきたぜ
おおっ よく きてくれた

BAR
なに 保安官が決闘を申し込むだと！
腰ぬけ保安官め用心棒をやといやがったな
上等だ相手になってやる
HOTEL

やつらが酒場からでてくるぞ
けっこういるわね
けっこうどころか…
多すぎやしないか？相手が…!!
これじゃタマが足りないぞ!!
あきらめてさっさと帰りな
こっちも仕事だそういうわけにはいかん

チャキッ
それじゃ死んでもらおう!
一、二の三で地面にふせてください
よよし
うて――っ
うわあ――っ
ぎゃあ――っ
これはいったいどうした事だ!
対面の相手をうっちまったのさ!
うわっ

量より質よ!
うわっ
でいっ
どりゃあ――っ
うわっ
なぜうたないんだあんたは!
タマがもったいねえからだよ!
面!
ぐわっ

また会ったな
保安官
ジャリ
正せい堂どうと
一騎うちだ!
いくぜ
チャッ
ジャキッ
正義は勝つ!
ぐわっ
きたねえ

あらかた
片づいた
ようね
完璧
だね
ローハイド
まだ
やってるよ
ガ
でい
でい！
ガ
ガ
あいた
たたっ
ぎゃっ
Bonanza《ボナンザ》

カットカット
また両ちゃんよ
まったくいいところなのにあのバカ
だめじゃないですかセットをこわしては!
どうもすまないあいつはアホなもので………
BAR
ジャパン
オールド・ツーソン
撮影用の街

でも　だいたい　とれましたので　編集して　みましょう
よく　写ってたか　心配ね
それでは　こちらで　元の服に　着がえて　ください
はい
ノックしなさい
衣装貸出しについて
1日 10,000円 (1人分)
その他オプション有、時価
セットを　こわした金は　おまえの　給料から　引いとくからな
来月オープン　時代劇セット!
えっ　そりゃあ　ないですよ　部長!
イージーオーダーの　ビデオ映画は　便利ですね　わずか　一日で　映画が　できるなんて
世の中　いろんな　商売が　あるものだ
あなたも西部の勇者だ!
このビデオを見せれば　君はクラスの人気者!
伊達男　バットマスターソン

交通安全週間
先日の西部劇映画今日できる日だろう!
両ちゃんがとりにいってるわよ!
あいつが…? 何か不吉な予感がするな
大原さん? はい ビデオ映画完成してますよ
あなたもスクリーンのスターだ!
映画研究社
オーダーで映画作ります 20万より
映画研究社
内金入ってますので残り14万円です
ありゃ 1万円多いぞ
ビデオ大安売
特価 1万円
ポルノビデオ
B・VHS
よし どうせ浮いた金だ わしの金にしちまおう

ねえ どれがすごい!? これなんかどう?
一番
ララミ〜牧場
さあ
「女子幼稚園のみだれ」…か いや 「若奥さん米屋です」の方がすごいかもしれん
早く きめて くださいよ
ただいまーーっ
亀有公園前派出所
ちゃんと代金払ってきました!
よし ご苦労! さっそく署にもっていく!
え? みんなでみないの?
まず署長たちにみせてびっくりさせてやるんだ ははは
まったく子どもみたいだな
苦労してとったんですものね

わしら
おとなは
このような
ものを……
む
ふふふ
ガ
あっ
ア
ー
VIDEO CASSETTE 30
映画研究社
西部劇
カラー30分
し しまった
ま 間違えて
あっちの方
を……
どうか
したの？
キ
ッ
両津の
バカは
どこにおる
でてこい
!!
あいつは
どこだ!?
さ…さあ
さっきまで
ここにいたわよ

★週刊少年ジャンプ1983年9号

温故知新《おんこちしん》!?の巻《まき》

あまり上で暴れるなよ運転しづらいぞ！
このあたりで小休止しようぜお茶でものもう
さっきから休んでばかりじゃねえかこれじゃ仕事にならねえよ
うるさいパトロールつきあってるのに文句いうな！
いて！

電話
銀玉屋
明治チョコレート
ずいぶん渋い店だな
こういう店は現代では貴重なんだぞ
おう だれか いないか!
ぬっ
うおっ
びっくりさせるな! E.T.《イーティー》かと思った!
何にしますか?

ラムネ2本もらうぞ
はいはい
こういう店はおばあさんが店番してる事が多いですね
ああ駄菓子屋はばあさんがセットになってるんだもはや同化しとる!
古そうな品物がいっぱいある
重要文化財物だよ特にこの店はすごい!
ばあさんなんか動く顔面化石だよな
えっ
ばあさんは古いから化石なみだといっとるんだ!
そんなに山本《やまもと》富士子《ふじこ》に似てるかのう?
あの図ずうしさじゃ二百歳まで生きるよまったく

それにしても古いなこんな物買うやついるのか？
トランシーバー
ジョー90
ロケットカー
花形スタア
力道山
F6セブン
平凡
ハッスル号
明星
先輩これなんですか？
ん？それかロケットだよ
この中に紙火薬をいれんだよこうやって…
ほう
そして思いきり投げる！
いい音するだろよくボルトを代用してあそんだものだ！
先輩おばあさん息してないすよ
なにっ
おい！しっかりしろ大丈夫だろ
むむにゃなんだ？
よかった助かった！
スーパーロケット
サンダーZ
10円プラモ

何か あったんか ……？
いいや 別に なんでも ない
ふだんから 仮死状態に 近いんだから ショック 与えるな バカ！
ピコ
先輩が やったんじゃ ないすか！
おっ なつかしの 高級品 G《ジーアイ》ージョーだ いっぱい あるな
そこらは 売れんから 燃やそうと 思ってな
もったいねえ話だな
わしが ガキの時分は この人形が 高くて 買えなかった もんだぞ
たった 1200円なのに
金持ちのガキが Gージョーもって みせびらかしに きやがってなあ 頭にきたから うばいとって 処刑してやった
処刑って？
体ン中に 2B弾《ビーだん》ぎっしり つめこんで 火を つけたんだよ あわれGージョー 手足が ちぎれて爆死
ひどい事 するなあ！

実演してやるよ たしかこのへんに2B弾が…
やめてください！またおばあさんがショックで……
もう 帰りましょうよねっ
そうか迫力あるんだがな………
ばあさんラムネいくらだよ
2本で3円です
3円？
昭和《しょうわ》初期に仕入れた品で価格もそのまま
うえっ さっき のんだラムネ50年も前のやつだと！
早く帰りましょう もう いや！
うえ～！

本当にすごい店だぜ！あそこは！
まだ気持ち悪い！腹が痛くなってきた
口なおしにお茶でものもうぜおい！
またかよ
COFFEE 青春 A.O SHUN
これでもう5軒目！もう お金もないよ
ケチケチするなさっき ラムネおごってやったろ！
COFFEE 青春 A.O SHUN
たった一円五十銭のラム…いたっ
カン
だまれおごったにはかわらん
おっなんだ！

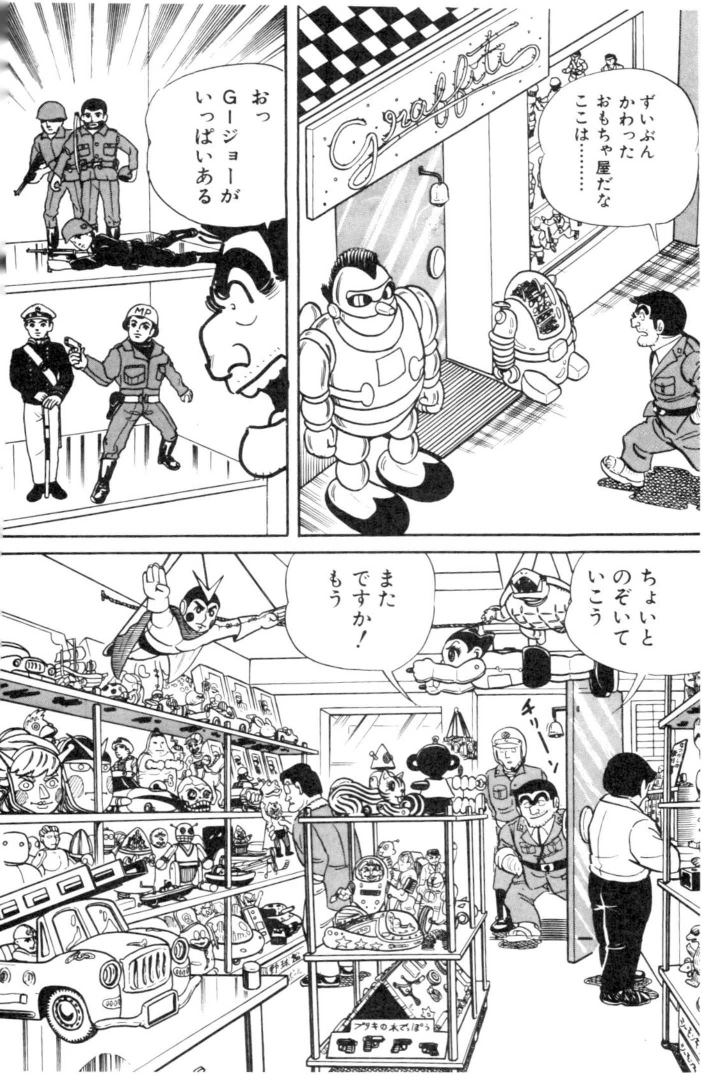
ずいぶんかわったおもちゃ屋だなここは………
おっGージョーがいっぱいある
ちょいとのぞいていこう
またですか！もう
チリーン
ブリキの水でっぽう
野球盤

おっ ロボット 三等兵《とうへい》だ！
はい 弱ったな 留守番がいないのでね……
あっ そうだ
ちょっと まってて
あの お巡りさん すいませんが 5分くらい 店番を たのめませんか
別に いいよ
よかった OK！すぐ いくよ
お願い します 値段は 品物にかいて ありますから
ああ
メンコ
大丈夫 ですか 簡単に 引き受けて しまって！
おもちゃ屋の 留守番くらい できる！ わしは おもちゃ博士 だ！

このレコードください
いつでも夢を
へいらっしゃい
こら また古いレコードだな
¥10,000
白馬のルンナ
内藤洋子
なに一万円? そんなバカな!
400円です
ドン
えっ定価で!
足元をみやがるな! じゃ200円でいいや! 200円!
本当! ウソじゃないですね
あれ一万円ってかいてありましたよ
あれは間違い裏にちゃんと定価が かいてある!
えっ本当!
店じまい大サービスだよきっと!
すいませんこれください
ドカ
ドヤ
これも!
おっ一気に客がふえたな

これも中古だから200円でいいや
うおっやった！
えーとこれも100円！
うわっすごい
僕のマリー
あんたこんな古くさいマンガほしいの
ええ集めてまして…
サイコロコロ助
¥15,000
そうね相当ボロボロだから……10円でいいよ
かんげき！
バサッ
おじさんG-ジョーはいくら？
うんG-ジョーそれは個人的に好きだから高いよ
青春とはなんだ
ズバリ300円！
全部買った！
ドスッ
おじさんドイツ軍は？
ドイツ軍きらいだから5円！
わおっ
ふうずいぶん売れたな
値段に問題があったんじゃないですか？
中古レコード

ばか者 わしのやる事に間違いはない
し…しかし
いやあ おまたせしました!
よう
あれ? ずいぶん店の品売れたんですね こりゃ すごい
ははは 私に商才があるのですよ
中古レコード
でっかい
売り上げ ここに置いといたよ
本当にすいません!
ずん
G-ジョー ドイツ軍5円で売ったんですよ
ぷる
ぷる
ぷる
み みんな価格ついていたでしょう!
あれ間違いじゃないの? そう 思って私の適切な判断ですべて 売ってしまったが……

ここでGージョーを説明しよう

昭和40年代にあらわれ大ブームとなる。戦車隊，海兵隊ｅｔｃ《エトセトラ》の制服が色いろあり，男の子版・リカちゃん人形である。しかし，当時は価値が高く，作者をふくむ下町の子どもたちは買ってもらえず山の手の金持ちのおぼっちゃまだけがもて遊んだというハイブローな人形であった。47年ごろ姿を消す。

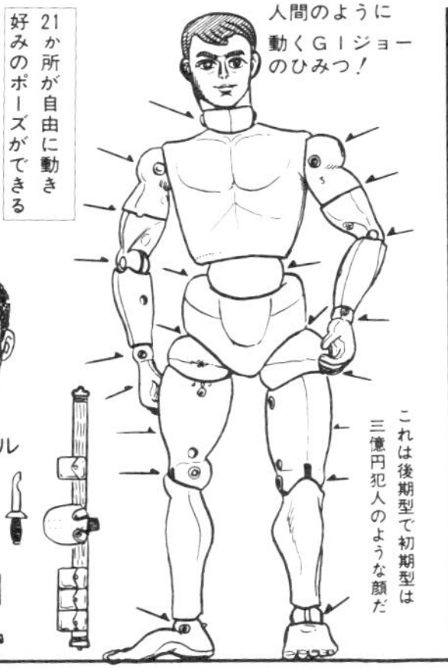

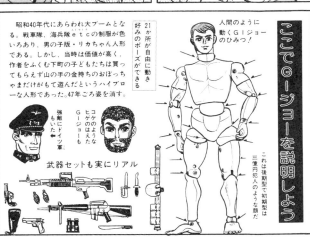

Gージョーなど駄菓子屋にいっぱい売ってるぞ
昔はね今となっては金脈を掘るごとく日本中をさがさないと……
今あるんだよしってる駄菓子屋に置いてある
ほ 本当ですか？
とにかくきてみろほかにもいっぱいあるぞ本田 いけっ
ＯＫベイビーとばすぜ！
銀玉屋
さあ火が ついた人形をくべるかね

キッ
ほら それらしい 店だろ!
あっ 大変だ!
G−ジョーが 燃やされる ぞ!
ダッ
ま まってくれ
ドカッ
すごい 本物の G−ジョーだ
本当 だったろ! よかった よかった
よかない! おばあさんが こげて ますよ!
プス プス

何かあったかね？
いや 別になんでもない！
信じられん新品のGージョーがこんなに……
だからいったろここは 時間が止まってるって！
すごい！初期のバービー人形まである
ん これは！
なんと関節が 動くイキイキバービーだ！
その人形なら50個あるよ
う～むただ者ではない……
いとこのフランシーと妹のスキッパーもある
おおっ
こっちにはサンダーバードやキャプテンスカーレット原子力潜水艦スティングレー号のプラモデル
ガラ
すごい!!

バービーの
ボーイフレンド
ケンが　こんなに
あるよ
うおお
おおっ
ほかに
鉄人やアトムの
人形や
黒いモデル
ガンも……
おばあさん
私と一緒に
商売やりま
しょう！
これら商品は
売れます！
今　ブーム
ですから！
そう
かね！
おい
紹介した
わしにも
リベート
忘れるな
はは
あ
むんず
しっかり
してますね
先輩
わしは
商社屋だ
中はいって
ピンハネせんと
あわん
出　派　前
今回出たGIジョーは現在では売っておりません。今お持ちの方は大切にして下さい
TOTAL
99

10年前の物が そんなに 人気あるん ですかね?
そうらしいな 今の世の中 何が ブームに なるか わからん!
どうも こんにちは
あっ あの時の おもちゃ屋
おかげさまで 大繁盛 です
そりゃ よかったな
今度は 石器時代の 矢ジリやオノが ブームに なりまして どこか しりあいの 石器時代の店は ないですか!
しるかよ いくら 顔が広くとも そこまでは しらんぞ!
広辞苑

★週刊少年ジャンプ1983年7号

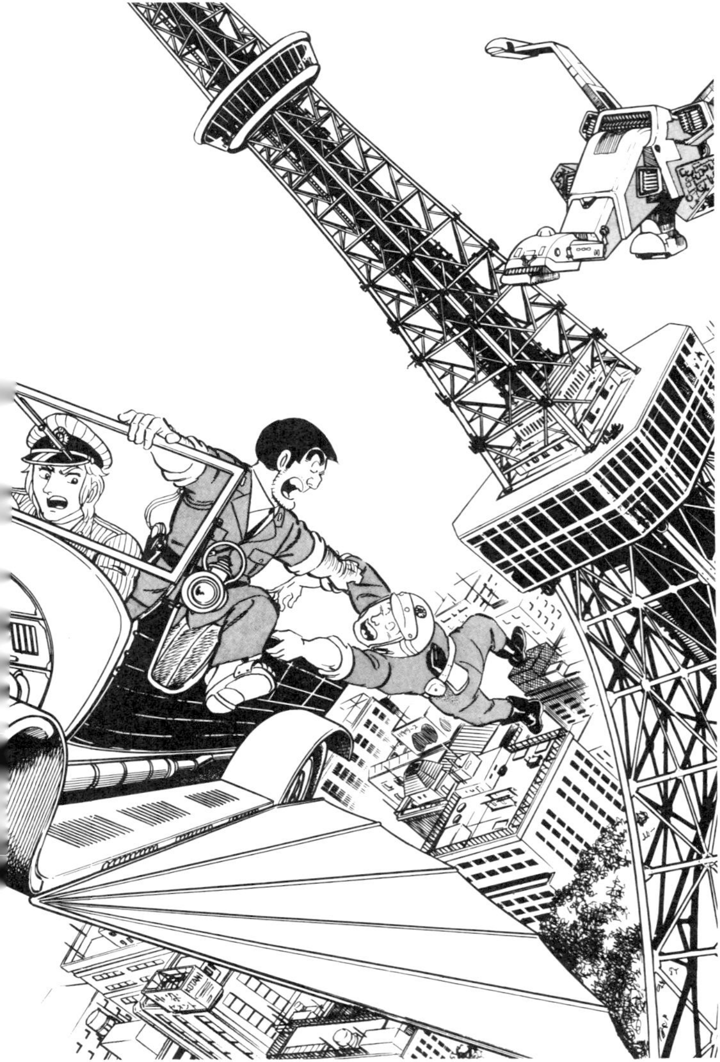
KOTANI

植《うえ》木《き》警《けい》視《し》正《せい》の退《たい》職《しょく》の巻《まき》

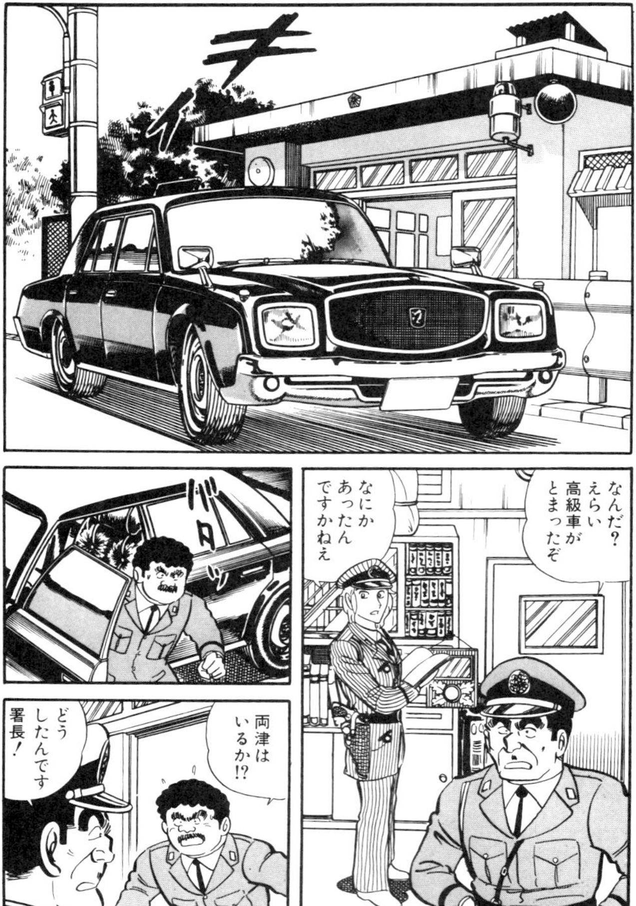
キィ
なんだ? えらい 高級車が とまったぞ
なにか あったん ですかねえ
バタン
両津は いるか!?
どう したんです 署長!

本庁の植木《うえき》警視正《けいしせい》が用事でおみえになってるのだよ
なんと! あの両津に!?
バタッ
勤務中すみませんね
両津くんはいますか?
はっ ただ今よんできます
どうなってるの?
先輩 また何かやったんじゃないかな?
ズズ～
宇宙船シリカ 終
NHK
両津 おまえ強盗でもやったのかっ
ブッ
突然何いってるんですか部長!
本庁の警視正殿がおまえに会いに きてるんだよ

そんなのに しりあいは いないよ
あたり前だ いよいよ おまえも クビかも しれんぞ
あっ
やあ 両津
驚かすなよ このやろう てめえ いつの間に 偉くなったんだ
はは すまん すまん! 突然 たずねてきて
警視正殿 両津と面識 あるのですか?
おさな なじみ なんです
同じ町内で 小学校も いっしょ でしてね 悪友同士 ですよ
少し 時間を いただいて よろしい ですか?
はっ?
そりゃあ もう! あいつを 煮てくおうと 焼いてくおうと 御自由に お使いください
はは それは どうも

やった! 部長公認で あそびに いけるぞ やっほーっ
それじゃ おかりします
どうぞ どうぞ
東大《とうだい》出の 超エリート ですって あの人
あのふたり 両極端 だよ
喫茶 オーロラ
よく こんな ところに くるのか?
まあな ここは ツケが きくから よく 愛用している
おっと 本庁で いいつけ ないで くれよ やばいから
ははは そんな事 しないよ
ところで なんだ…
話ってのは ……?

じつは警視庁をやめようかと思ってるんだ
なにっやめるだと
気がついた時にはこの地位になってたが…
本当は別な事をやってみたかったのだ
アイドル歌手にでもなる気か？
チューチュー
まさかこの年じゃ無理だ
手づくりケーキの店でも赤坂《あかさか》でやるのか？
ジャラ
いや！おもちゃ屋をやりたいんだ
今しかやる時期はないそこでおもちゃにくわしい両津に相談したいのだ
まっおもちゃ評論家としておもちゃ業界は暗いね
これから伸びるのはなつかしのおもちゃ屋だ
ボリボリ
なつかしのおもちゃ屋？
百聞は一見にしかずだいってみよう

古いオモチャ人形など高く買入します
ビリケン
☎03-400-2214
キィ
バタッ
ここがその店だ
おもちゃ屋にはみえないな
ようしばらく
やあ
ほうなるほど

こんな古いおもちゃが売れるんですか？
ばかもの！気安くさわるんじゃない
いやすまん！
両さんコーヒー入ったよ
おっサンキュー
あいつこういう商売やりてえらしいんだマスターから教育してやってくれ
ああいいよ…
あんたこの道に入ってみたいわけね
はあおもちゃについてしらないもので……
おもちゃとよんではいけません美術品とよびなさい
ははい
この初期型Gージョーなどは重要芸術品とよぶ事
はい

知識度をテストするからちょっとまって！
この怪獣の名前は？
わかりません
じゃこっちは？
えーと鉄人48号かな……
両さんだめだこの人！
勉強しすぎて頭が岩になっとるからなこの男は…
回転は悪くないはずだからがんばってくれ！
基礎から教えないとだめだな
本
これ　全部覚えなさい
なんですこれ？
まず　名前をすべてマスターしないと始まりませんよ
子どもの読む本ばかりじゃないですか？
ウルトラ怪獣大集合
ウルトラマンのすべて

ばか！教科書だよ！それで勉強するんだよ
なるほどこりゃ大変だ
ウルトラ兄弟
問題一 ウルトラ家族 全部でなん人？
なんですそのウルトラって？
こりゃ相当重傷だな
今どきこういう人は貴重品だよ高く売れるね
キィ
ッ
またあの人きたわよ
毎週くるよなんだろうね……？
両津くんはいるかね
奥にいますよ

ダダ
覚えたぞ今度はバッチリだ
ひょっこりひょうたん島 終
NHK
本当だな よーし
これはなんだ!
宇宙怪獣エレキング
じゃこれ!
三面怪獣ダダー
じゃマイナーなこれは!
獅子舞超獣シシゴラン
むむっだいぶ予習してきやがったな
だてに東大は出ておらんよ ふふふ
じゃあこれは!!
サンダーバード2号!
これは!!
原子力潜水艦スティングレー号

突然フェイントをかけてこれだ!
サッ
おおっ
さあいってみろこいつの名は……
うう……リカちゃんじゃないし……
わかったぞお友だちのハルミちゃんだ
ばかものスチュワーデスのおねえさんリエさんだ!
弱点をみたぞ!これはなんだ
ずっ
うっ
そんな人形は作られていない!
ウソつくなプリティチイちゃんだ!
パカッ
ガンビー君の冒険
おぬしまだ修業がたりんようだな
これがプリティチイちゃんだったとは…うかつだった

怪獣の名前あてっこしてるわよ あの警視正まで
ふたりともだんだん子どもに近くなってきたね
火の用心
つくだ煮 よろず屋
おまえの家じゃないか どうするんだ
つくだ煮 よろず屋
よろず屋
資本となるおもちゃがかくされているのよ
ブロロロ
うおっす いるか？
なんだ勘吉じゃないか
おもちゃあったよな ガキの時分の！
物置にしまってあるよ
そうか サンキュ
植木だしってるだろう
どうもおじゃまします

うちのおふくろは貧乏性でな全部　捨てずにとってあるんだ
そいつはすごいな
ガラガラ
うおっ宝だ!!
ふふふこの価値がわかるとはおまえもだいぶ板についてきたな
すばらしい美術品ばかりだ
みろこのタイガース人形
おおっ
こんな時代がくるだろうと夜店で買っておいた品だ
するどい商魂だ
さらにクレイジーキャッツ人形てなもんや人形あきれたぼういず人形とどめはトニー谷《たに》人形だ!
おおおすごい!!

こんな物が市販されていたとは
このマンガを読んでる小・中学生にはさっぱりわからないギャグだが30歳前後の人には うける
浅草《あさくさ》の小さなおもちゃ会社で作ったのだが売る寸前火事が おきてこのサンプルだけのこった
現品のみ! すると これは芸術品以上の……
国宝級の人形だ! うわあ!
さがれ! さがれ! 無礼者っ頭が高い!
ザザッ
このトニー谷人形はソロバンが可動して計算できる
すごい なんと精密な!
このハナ 肇《はじめ》人形もじつに よくできている
胸を押すと歯ぐきがでるぞ
火事にならなければ一流のおもちゃ会社になっていたにちがいない
まったくおしい事をした……
こ これはかの有名なデン助《すけ》人形
そう 亀有に住んでいた芸人だな

デン助劇場をみにいった時ゲストでよばれ舞台のソデで大宮《おおみや》デン助からもらった物だ
これも貴重な人形だ
ちなみに作者が 中学生のころ新聞配達していてデン助の家と宇津宮雅代《うつのみやまさよ》の家に夕刊を配っていたという伝説がある
それも美談だ
これらのおもちゃ全部おまえにやる
えっ本当に!!
新しい門出だ餞別《せんべつ》にくれてやる
そうかすまん!
これをもとにがんばるよ
その意気だ
行方不明車
VT250F
走行1500km
白 新同車
タンクバック付
ナンバー
足立け
8423

なにっ 植木が 退職した!?
本庁でも 不思議がって ますよ あのエリートが 突然 やめる なんて 信じられない
まいったな… 本当に あんな 商売 始める 気なのか! てっきり 冗談と思って いたのに…
両津 まさか おまえが 原因で やめたんじゃ ないだろうな!?
と とんでもない 私は しりませんよ
馬
そういえば おもちゃ屋が どうの…と ふたりで よく 話してましたよ
あれは 別に ただの 日常会話で ………
おまえ また つまらん 商売を すすめた のか?
いえ ぬれぎぬ です 無実!
あんな ゴミみたいな おもちゃ 売れると 思ってるのか まったく!
いちずに カタブツ男 だからな!
3か月後

★週刊少年ジャンプ1983年19号

ヘーイ！モボ!!の巻《まき》

なに？じいさんの見舞い!?
亀有公園前派出所
夏の交通
オレがいくのかよ？いそがしいんだぞ警官ってのは！
え？今度は危ない？
10年くらい会ってねえから顔忘れちまったよ
なに？むこうで覚えてるから心配ない？
わかったわかった！いくよ！わかったよ大丈夫だ！
ちくしょう！
オヤジめめんどうな事はオレにおしつけやがって！
ガチャ

モボ!!の巻《まき》

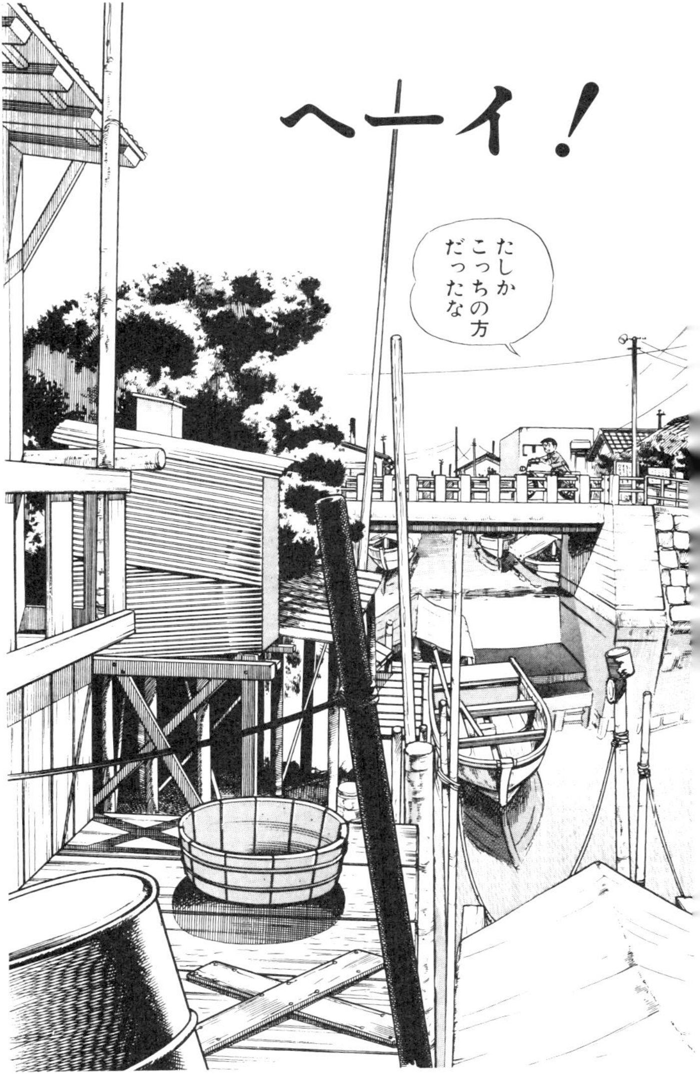
ヘーイ!
たしかこっちの方だったな

佃島《つくだじま》も 昔と比べて かわっちまったよ
佃小橋
しかし 頑固に まだ 昔気質《むかしかたぎ》の家が 残ってるって いうのは うれしいね
おっと いけねえ!
手みやげ 忘れる所 だった
キッ
水菓子 にでも するか
しかし じいさんは 歯が ねえしな
しんせん・えいよう
初代 佃煮屋の じいさんに 佃煮みやげ 持っていっても しようがねえな
天安
佃
佃煮 天安
何に するかな……
ちょっと さがして みるか
ガチャ

米屋《よねや》の羊《よう》かんでも買っていくか
米屋 きんつば
おっと じいさんは糖尿病だったっけ…
年寄りはこれだからめんどうなんだよ!
手ぶらでいくと また 部長になにか いわれそうだしな……
なに!?
手ぶらで見舞いにいくだと?
くわっ
私のオヤジのオヤジ つまりじいさんの見舞いですよ 身内だから別に……
ばか者 身内でも見舞いにいく時は何か もっていくものだ!
だって オレがガキの頃オモチャをひとつも買ってくれた事なかったんですよ 愛くるしい孫の両ちゃんにひとつも!
ずいぶん根にもつやつだな
だれがどのオモチャ買ってくれたかしっかり覚えてますからね

たとえ何が あろうと手ぶらじゃいかん!
何もってきゃいいんです
おまえのおじいさんじゃけっこうお年だろう
えーとたしか もう90を 越えてると……
そりゃすごいな
動く明治村《めいじむら》ですよ頭にチョンマゲつけてた写真がありましたからね
メロンなんてどうだ?
ダメ ダメあんな高価な物くわしたら死期を早めます
じゃ まっ適当にみつくろってもっていきますよ
そうしろお年寄りはさびしがり屋だ顔みせるだけでも喜ぶぞ
道楽オヤジに輪をかけた超極道オヤジがさびしがり屋だとは 思えませんがね
とにかくすぐいってやれわかったな
ちびっこたちのお店
おもちゃのカワサキ
「GIジョー」高く買い入れます
名糖アイス
…てな事いわれて結局
見舞いの品にコンピューターゲームを買ってしまった

じいさん これ みたら 宇宙人が 中に 入ってると思って 腰ぬかす だろうな
こんな 未来から きた物 わしはいらん とかいって！
そこで ぼくが もらいましょう といって もらって しまう！
これぞ "あげる" "いらん" "もらう"の 三段活用！
両津さんの 家ですか？
そう もう ギネスに のるほどの コケのはえた じいさん
元佃煮屋の 両津さん でしたら あのうち ですよ
そうかい サンキュー

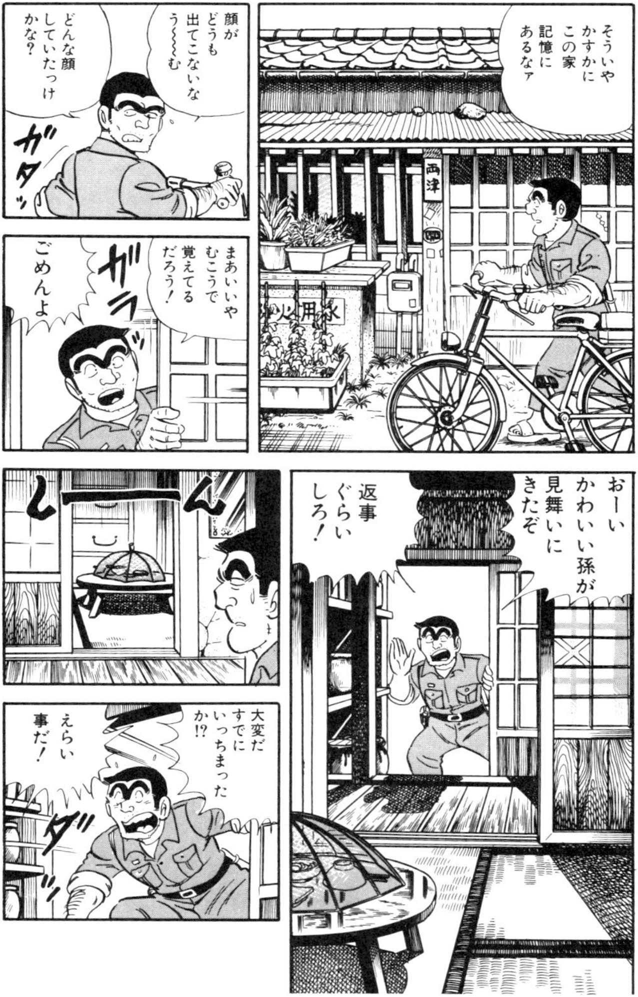
両津
そういや かすかに この家 記憶に あるなァ
顔が どうも 出てこないな う〜〜〜む
どんな顔 していたっけ かな?
ガタッ
まあいいや むこうで 覚えてる だろう!
ガラッ
ごめんよ
おーい かわいい孫が 見舞いに きたぞ
返事 ぐらい しろ!
しーーん
大変だ すでに いっちまった か!?
えらい 事だ!
ダッ

こらっ
ぐわっ
このコソドロめ!
不届き千万!
ちょっといて!
オレは警官だ!
あっおまえは?
あんた…じいさんだっけ?
そういうおまえは………
両津花子《はなこ》
男だろ!勘吉だよ勘吉!
いやすまん
なにせ孫が24人もいるものでな

勘吉 だったな たしか オヤジが 元五郎《げんごろう》！
ちがう それは 長男だろ！ オヤジは 銀次《ぎんじ》！
銀次？ はて わたしの息子に そんな 名前のが いたかな ？
これだ！ 産んどいて 無責任な やつだ
ところで 何しに きたんだ おまえ？
なん だっけな えーと
じいさんが 病気でやばいから ひと目会って こいってんで きたんだぞ！ なんでピンピン してるんだよ!?
それは こっちが ききたい くらいじゃ
あっ！ 見舞いだ
そういえば 先日 カゼ ひいた時 浅草の息子が きたな
早とちり しおったな まったく
昔から おまえの オヤジは あわて者で 有名だったぞ あの 玉三郎《たまさぶろう》は
銀次だよ 銀次！

しかし90のじいさんのかっこうじゃねえぞそりゃあ
健康のためテニスをやっとる若いギャルとのスキンシップが若さの秘訣じゃ
立ち話もなんだわしの部屋にいこう
ゲートボールにしとけばいいのに無理しちゃって!
これが年寄りのひとり暮しの部屋かよまいったな
時代がやっとわたしに追いついただけじゃよ

明治時代にG《ジー》パンはいてベッドに寝てたほどだからな黒船で来たペリーの影響を受けたからな
なんかウソっぽいな
なんだそれは？
これか見舞いにもってきたゲームだ
びっくりしたろ世の中は進んでるんだぞ
このゲームなら去年 わしが遊んでたのと同じじゃ まだ こんな古いゲームが残っていたとは…
ドテッ
あーっ ちくしよう 見舞いにきて損した！ 部長からもらった見舞い金やる事ねえな
見舞い金だと!?
義理人情に厚い大正人間《たいしょう》がうちの署にいてね これは必要なさそうだ
ゴホ ゴホ ゴホ
おっ

じつは不治の病であと数日の命かもしれんのじゃ うっ ゴホ
ゴホ
ゴホ
また始まりやがったな
近頃は食が細くおもゆと豆腐だけで…
台所に牛肉の空カンがいっぱいあったぞ
せめて死ぬ前にこのお金で白米をいっぱい
あっ
年金で細ぼそと暮す年寄りにはお金が何よりの楽しみなのじゃ
年金でテニスウエア買いやがって！どういう生活してるんだ
元気ならわしの役目はすんだ！帰るぞ
え！
まあいいじゃないかきたばかりでいっしょに昼めしでも………
ちぇっ

…おごってくれるか？
やっぱり帰る！
うおっ ゴホ ゴホ く…くるしい
こんな年寄りひとりおいて帰るとは… ゴホ ゴホ
ゴホ ゴホ
く…くるしい…うっ
不治の病が再発したらしい
あわれ両津勘兵衛《かんべえ》わずか98歳の命ひとりさびしくのたれ死に…明日の朝刊のトップ記事に……
わかったわかったおごってやるよ
ガク
近くにうなぎのうまい所があるんじゃよ
昼間からそんなぜいたくな物たべる気かよ！
うっ 急に目まいが…栄養失調で目もかすんで…
えらい家にきちまったな
うなぎ
うなぎ

やながわ
おい いっぺんに くうと いきなり 栄養が 体に まわって ぶったおれるぞ
大丈夫 人に おごって もらうのは じつに うまい
これも 一男《かずお》の おかげじゃ
勘吉 だよ!
そうじゃった 金五郎《きんごろう》の 息子 だったのう
オヤジは 銀次だ!
そう銀次! 銀次! 青山《あおやま》で ラーメン屋 やっている 銀次
浅草で 佃煮屋だ! いいかげんに しろ!
ところで おまえは だれ だっけ!?
あ〜あ もう 頭が ゴチャゴチャ してきた
ところで 一男 わしの願いを ひとつ きいて くれるか?
なんだよ いって みろよ!

女子大生キャバレーにいってみたい！
年金もらってるやつのいく所じゃない！だめだっ
うっゴホッ苦しい…ゴホッ
もうその手にひっかかんないよ！
おおい大丈夫か………
こりゃいかん！
おいだれか！
なーんちゃって
みたか！3年かかってあみだした〝死んだふり〟の術だ！わっはははは
よせよ！ふだんから紙ひと重なんだから 本気でなっちまったらどうするんだ！

※モボ＝モダンボーイの略《りゃく》。ナウイ青年の事で、女性《じょせい》の場合モガといった。

現代的な話題がいいんだろう東京オリンピックとか……東京タワーが完成したとか
相手がギャグにとってくれるように祈るよ
じゃ　車でいこうへーイ円タク！
あれ銀座《ぎんざ》はこっちじゃよこっち！
あんな高級な所いけるか！上野《うえの》の方がいい
どうも調子が狂うな
どうしたんです先輩!?
ゆうべのみすぎたんだよいてて
まったくあのじいさんよくのみやがる

おまえのおじいさんの事か？
そう98歳とは思えぬのみっぷりだよ
体全体がアルコールづけだから火をつけたら景気よく燃えるよあのじいさん
また！変な事いわないでよ
勘吉！いるか!?
あっ
金が入ったんで思わず買ってしまった千葉の方へドライブいかないか！
まったく不良老人め年金でそんな物買うな！

★週刊少年ジャンプ1983年30号

オマワリクン！の巻《まき》

これが 警視庁で 1億かけ開発した 警官ロボット!?
私は てっきり ロボット三等兵 みたいなやつだと 思ってた……
おまえは 発想が 古いな
等身大 Gージョーって 感じだな
この開発001号は 道案内や危険な 仕事を 24時間 休みなく おこないます
まさに スーパーポリス マンです
こんなのが いっぱい できたら わしらの商売 あがったりだな

今後の警察活動の資料となるのでこの日誌をつけてください
バッテリーやメンテナンスはこの解説書にありますので
なるほど
試験期間10日後にとりにきますそれじゃよろしく
たしかにおあずかりします
なんでうちの署へこんなのがくるんだよまったく
どうもすいません
うわっ口きいた!
今 回路のスイッチを入れたんですよ
おどかすなバカ!
〝こんなの〟ですみませんね
イヤミなやつだ

私　警視庁の開発 ロボット001号です なにぶん　試作品 なので十分でないと 思いますが　よろしく お願いします
いや こっちこそ よろしく たのむよ
ずい分 礼儀正しい わね
まったく！ どこかの 人間以上だね
さっそく　周辺の 地理を記憶 したいので 地図を　かして いただけますか
はりきって るわね
こんなに あるんだけど 大丈夫？
心配 いりません
カチャ
カチャ
気に入らない ね！ あの顔！ Gジョーにしても リカちゃんにしても どうして　みんな 美男　美女 ばかりなんだ
たまにゃ ブ男のロボットや ブスの人形作りゃ いいじゃねえか その方が 現実的だぜ

記憶　完了　しました
うわっ
ガキッ
おどかすな　バカモノ
ぎゃあーっ　いててて！
ズダダッ
どうしたの　両ちゃん！
私の体は　火に耐えられるよう　すべて　超合金で　できてます
早くいえっ　ちくしょう
もう　全部　記憶して　しまったの　か？
はい　あの程度は　60秒もあれば　十分です
よし！　亀有名画座　どこに　あるか　いってみろ！
環《かん》七より　旧水戸《みと》街道入って　97m《メートル》　左に　あります　ここより　歩いて13分20秒

わしの友人の寺本《てらもと》の家は どこだっ いってみろ!
亀有信用金庫の交差点を 青戸《あおと》方向 230m 左へ折れて 18mの右の家です ここより27分
う~お それじゃ わしの友人の妹の同級生の………
もう いいですよ 先輩の負け!
かなうはず ない! 001号と 比べたら おまえなど チンパンジー
なんたるバヤリース!
おまえなど バカだ! 人間に かなうはず ない!
いえ 記憶回路は 人より数十億倍の 能力があり 思考回路も……
だまれ だまれ だまれ 鉄拳制裁を くらえ!
ぐわあーーっ
同じ失敗を またやるとは 動物以下だな こいつは……

そうそう いいね もっと上！
おわったら 今度は 足だぞ
どうしたの 仲よく なっちゃって
すっかり 私物に しちゃってるんだ
勝手なものね さんざん おこっておいて！
足は 多少 力を 入れて やれ！
はい
こうですか？
ボキッ
ぐわあぁーっ 骨が はずれた
どうかしましたか？

先輩！だからいったでしょかれは力の加減がわからないって！
おっそろしいやつだ…まったく！
もういい酒買ってこい！
さけ？
勤務中酒のんでいいのですか？
今年の4月から解禁になったんだよいってこい！
剣菱《けんびし》の特級だぞ走っていけ20秒台で買ってこい
はい
買い物ロボットじゃないんですよ
うるせえないいんだよ
どうしたんだその金は？
両津さんにたのまれて酒を買いに…
おい両津どういう事だ酒とは！
いやサケ魚のサケそいつ発音がおかしいんですきっと！

サケに特級なんてありましたか？
あっバカ！
001号は大切な研究ロボットなんだぞ変な事教えるなよ
わ わかってますよ もちろん
夜勤の時ご飯たかせたり洗濯させたりしてたわよ
なに!!
いや あれは その……
警視庁はおまえの飯たきのために一億もかけてあいつを作ったんじゃないんだぞ
はい まさに その通りで……
おまえとつきあうと悪くなってしまう！今後一切近づく事を禁ずる！
てめーっ つげ口しやがって 学級委員かおまえ！
本当の事でしょう
ケンカはいけません
なんだこいつ！

おまえが原因だろ このやろう
ぐわっ ちっちっ
バカねえ もう!
よし 今日は帰るぞ
どこへ つれて いく気?
寮だよ 洗濯物や そうじが たまってる からね
今度 部長に いいつけたら メリケン パンチを くらわすぞ!
こりない わねえ
少しは 休ませないと 故障 しちゃうよ

台所洗ったら部屋のそうじだぞ!
ザッ
ガシャ ガシャ
10分でやれよ
まったく家政婦ロボットがきてから楽になった
パ・ワー車を
はい おじょうさま
ザシャッ
なんだ!!
あーっどうしたんだ!?
傷は浅いぞしっかりしろ!
少しハードに使いすぎたかな?
なおさなきゃやばいぞ!
ボロいロボットだまったく

う〜む
こまったね
ナチョナル でんき
ナチョナル・ジェネラル・シャープ
最新型
カバー付き
バラした
結果
どうなんだ
よ！
じつに
なんと
いうか…
私の力では
もう　元に
もどせないと
いう結論に…
なん
だと！
どうすんだよ
3日後に
とりにくる
んだぞ！
みてくれと
いったから
私は　ただ
みただけ
ですよ
一億円も
するんだぞ
弁償しろォ
元に
もどせェ！
一度
バラした物は
二度と
もどらぬという
原則が……

なに両津が001号を寮につれていった?
まるで自分のオモチャよ
おはようございます
カチャッ
今日も元気だタバコでハイガン!
おっもどってきたか
カチャ
カチャッ
少し小さくなったみたい?
また両津にこき使われたそうだな
いえとんでもない
両津さんはじつに部下思いの先輩です
信じられんな…
声が少しかわったんじゃないか?
ちょっと回路の調子が悪くて!
充電した方がいいんじゃないか?
消火器
そうですね

あれ？
ぎゃおお——っ
バ バッチリ充電しました……
も もういいです
そう？
冗談じゃないよ感電しちまうよ
中身は人間なんだぞ！
部長この計算大変なんですが…
001号にやってもらいなさい
お願いします
できましたハイ
禁煙
さすが早いね
ところで両津はどうした？
3日間有給休暇をとるといってました

なんだ これは？
アンドロメダ
うんこ
バルンガ
おそらく すごい数だろう
お巡りさん ちょっと 手伝って ください
なんだね
トラックの 鉄板が 荷くずれして しまって！
こりゃ すごいな
さあ きみの 出番だ！
えっ 私が!?
かれは スーパー ロボットですよ ひとりで 全部 やれますよ
それは すごい！
おい ペースが 遅く なったぞ
ガシャ
ムチャ いうなよ ちくしょう

ロボットがゼイゼイいってるよ？
ぜり
ぜい
ぜい
おかしいわね日誌につけておくわ
近くで火事です！
なに！
ダッ
やな予感
ゴオオオ
中に50キロの大切な仏像が！
まかせなさいロボット警官がいます
001号火の中にとびこめ！
今日はちょっと体の具合がおもわしくなくて……

こういう時に活躍しないでどうする！
うわっ
ぐわっ
本当に大丈夫なんですか？
もちろんですとも
ほらっもどってきました
あちっ
あちっ
うおおーっあっちちち
水だ水！
ぎゃあーっつめたい寒い！
ずい分敏感なロボットだな

さて昼飯にするか!
ハラへったなあちくしょう
部長殿外で女性がよんでます
なにっ
ガタ
どこだいったい?
ガツガツッ
いないじゃ…
あっ
ガツガツッ
え?いませんでしたか?
ピク
ピク

おまえ…えらい事したな…中身はどうした？
な なんの事です？私は開発001号ですよ
あくまで両津ではないというんだな
もちろん！両津さんは有給休暇でハワイへいってます
おい 中川 ハンダゴテもってこい
えっ
こうなったら完全にロボットになりきってもらおう 首が とぶかもしれんからな
ウスウス事情がわかりかけてきた
ガチャ
ガチャ
ジジ
あちち やめて！でらんなくなる
警視庁
3日後…
科学研究所
あの派出所にあずけてから調子が 悪くなってしまった回路が狂ってる！
うむ 自分を本当の人間だと 思いこんでるな
本当なんです 純生《じゅんナマ》の人間!! これ はずしてよ お願い！

★週刊少年ジャンプ1983年27号

たたかう女!?の巻《まき》

空手チョップでブラッシーを
たたきのめしたあの力道山《りきどうざん》が
乗っていたバイク。
インディアンCS《シーエス》1300
（現在・葛飾区の人が所有）

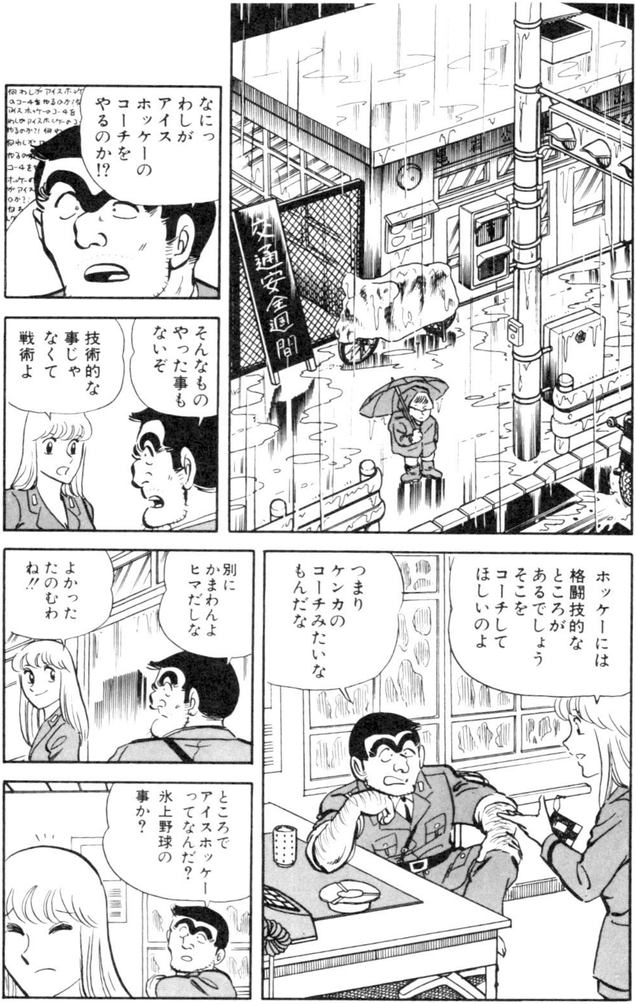
交通安全週間
なにっ わしが アイス ホッケーの コーチを やるのか!?
そんなもの やった事も ないぞ
技術的な 事じゃ なくて 戦術よ
ホッケーには 格闘技的な ところが あるでしょう そこを コーチして ほしいのよ
つまり ケンカの コーチみたいな もんだな
別に かまわんよ ヒマだしな
よかった たのむわ ね!!
ところで アイスホッケー ってなんだ? 氷上野球の 事か?

アイスホッケークラブ
亀有レディース仮練習場
今日は両津さんがみなさんの指導にきてくれました
両津さんは柔剣道の有段者で署内一ときいています
それにしても全員 女とは驚いたな
技術的にもトップクラスのチームですよ
それだけに他のチームに目を つけられ今度 試合する強悪大学《きょうあくだいがく》チームは荒っぽく反則の多いチームなんです

それにどう対処するかが今回の特訓なんです
目には目をって事か！よし！まかせろ
それじゃさっそくお願いします
なんだこりゃ？
練習用シューズです車がついているんです
ローラースケートみたいだな
氷上でなくても練習できるようになってるわけです
ほう
なるほどこりゃ便利だ
両ちゃん上手じゃない
シュー
ツ
あたぼうよガキのころは下町のローラー小僧とよばれたもんよ
これも要領は同じだからな
チュッ
中川ちょっとこい
えっぼくが!?

まずは初歩のテクニックから紹介しよう
接近戦ではレフェリーにみられないように素早く足をはらう
うわっ
ガッ
そこへ転んだふりしてヒジで一撃かます
ぐふっ
高見山《たかみやま》でもバランスくずすと倒れる女の力でも十分できる
起きあがる時は何事もなかったごとく笑顔で!
さらに走りながらのシュートの時も……
大振りをして相手の脳天をぶったたく!
ぐわっ

相手をとびこすふりをしてスティックでポコチンに打撃を与える
ぎゃっ
ふたたび転んだふりで頭つきで一発
ぐわっ
さらに足げりを2〜3発
ぐえっ
かなりのラフプレイを思いつきますね
反則にかけては天才的よかれは……
ただいま！
ご苦労さん今日もバッチリコーチしてきた?
毎日じゃこっちの方がまいっちまうよ

来週の試合の券4枚もらってきたぞ
よかったわねみんなでいきましょう
ダメッ一枚2500円でわけてやる買え！
図ずうしいわねえもう！
2月10日 午後3時
アイスホッケー試合
強悪大学ホッケー部 対 亀有レディース
アイスホッケーは初めてだ楽しみだな
くそとうとうタダ券でとられてしまった
ただ今より選手入場です

強悪大学ホッケーチーム入場！
KYOAKU
強
4
なんだあいつらレスラーみたいだな！
大丈夫かしらね
浜崎《はまざき》ちゃんわかってるわね！
へいたたきのめしてやりますぜ
礼の方もたのみますよバッチリと
もちろんよ思う存分やってね

さっそくシュートが入りました!!
ふたたびレディースの得点です！
くそっやれ！
ＯＫ
あっ
きゃっ
混戦でけが人がでました

名プレイヤーの
尾形《おがた》選手です
レディース
これは不利です
やつら
きったねえ
あれが
手なんです
よ！
さあ
レディース
のシュート
決まるか！
あっ
きゃあ

レディース
これで
3人目!
不運が
続きます
!!
逆転
されて
負けてる
わよ
しょせん
女と男じゃ
力の差が
ありすぎだ
ちょっと
どけ!
えっ
おい
監督!
このままじゃ
うちの選手
全員
つぶされて
しまう
こうしよう
ぼそ
ぼそ
え!?
レディース
メンバー
交替です!
両津花子《はなこ》選手
新人のようです

いくら新人がでたってすぐつぶしてやる
それにしてもごついい女だな
おっし！
いただき！
おっ
どすこい！
ぐふっ
すごい
やるうっ
くそ！あの女！
てごわいですね

レディースまたチャンス！
非常にうまいプレイ
くらえ！
ぐわっ
ごめんあそばせ！
スティックがとんであそばしたわほほほ
くそっこれでふたり目だ
あいつを徹底的につぶせ！

ゴール寸前でクラッシュ!!
あっ おまえは 男!?
しられたからにゃ仕方ねえ
おい! あいつは…
うるせえ!
ぎゃっ

それっ
ゴールへ
たたき
こめ!
そうは
させるか
!!
どけっ
どけ!!

入った
逆転！
やった！
こうなりゃ試合もクソもあるか！
きゃあ——っ

うっ
てめえ
きたねえ
マネを!
てやんでえ
どっちが
きたねえんだ
力ずくなら
負けねえ
ぞ!
うわっ
ぐわっ
くた
ばれ!

あ!?
やりやがったな!
ぐえっ
うりゃあ!
ぎゃあいや!
すごい!最高にもりあがってます!まさに男のスポーツ
ぐばっ
うわっ
アイスホ

★週刊少年ジャンプ1983年10号

東京《とうきょう》留学《りゅうがく》!?の巻《まき》

私が研修警察官の指導をするんですか?
度井仲県《どいなかけん》度井仲村《どいなかむら》大字度井仲署《おおあざどいなかしょ》の芋頭《いもがしら》巡査が今日から研修にくる
どこにあるんですか…その度井仲県っていうのは?
千葉と埼玉の間にある県だ去年発見され今年から県として認可された新しい県だ
秘境みたいなところですな…
なんでも池にはシーラカンスや三葉虫がウヨウヨしてるらしい
日本語通じるんですか?
指導については署内での適任はおまえしかいない!たのむぞ
どういう事ですくそ!!
本当に人間なんですか?その警官……
わからんとにかくおまえにまかせる
まいったななんでそんなわけのわからん人類の指導しなきゃいけないんだ
めんどうくせえな

言葉の通じない
わけのわかんない
やつがきたら
どーすんだよ
わしじゃ
面倒見きれんよ
ヌッ
うおっ
なんだ!?
公園前
派出所と
いうのは
こちら
だべか?
おまえか?
研修の
警官って
のは?
そう
だべ!
度井仲署の
芋頭だす
部長
きましたよ
旧軍の
歩兵みたいな
やつが!
うむ
ずいぶん
かわった
制服です
な!
東京府に
上京するので
重装備で
きただす

府じゃなくて東京都だろ！
ばってん地図には府になってるだす
なるほど東京府だ部長いつからかわったんですかね？
そんなバカな！
この地図は明治《めいじ》時代の物だぞ！
なんと！
そういえば銃も三八式《さんぱちしき》歩兵銃か…古いな
なにをいうだす！
この小銃はわが署で一番最新式だす
なにっ三八式が新型だと？
ほとんどの警官は南蛮渡来の種子島銃《たねがしまじゅう》
それと比べりゃ新型だ
拳銃も同じナンブでも南部甲式《なんぶこうしき》か？拳銃マニアがよろこびそうな銃だな
去年までは日野式《ひのしき》自動拳銃使ってただす

度井仲県は「木曜スペシャル」で探険隊に発見されるまでは村中 まだ戦争が続いていると思って戦闘状態だったらしい その後 軍隊がそのまま警察になったから多くの品が流用されているのだろう
なるへそ
警察の活動をちゃんと指導してやらねば いかんわかるな！
焼け石に水だと思いますがね……
どうぞ！
この黒い物はなんだす？
コーラよ
……………
??
おい
悩んでないで早く飲んじまえよ！
ゴクッ
ぶっっ

ぐえっ口の中で爆発しただ！
きたねえなァてめえ〜
ウ〜〜
ウ〜〜
なんだ！
ウ〜〜
救急車かしら？
ウ〜
ウ〜
消火器
空襲警報だ!!
あかりを消すだ！早く！
ななんだどうした!?

この非常時に爆風でガラスがこわれたらどうするだ！
おい今のサイレンは……
ばか！ふせるだ艦載機に発見されるだ！
あまりさからわん方がいいいわれた通りにしよう
目が真剣だった…
きたっ
AKAI

おおっ
あれがウワサに聞くグラマンの新型戦闘機だべ!
あんたらも竹ヤリで協力して守るんだ
こんな物でどうしろというんだ!
敵機をつついておとすだよたのむだよ
スーパーマンじゃあるまいしそんな事できるかよ
あっ
ビシッ
PJ1
ズギューン
下からうたれたぞ!?
そんなバカな
この下に何かいるんじゃないか?
戦時中じゃあるまいし
!!

ひええーっ
兵士がこの機に銃口を向けているぞっ
えっまさか！
きっと成仏《じょうぶつ》できない兵士の亡霊だ……きっと！
そういえばこのあたり戦火がはげしかったときくな……
うわっにげろ！
ブロロロ
やっただ気迫の一発でおいかえしただ！
すごい腕だな
わだすは次期士官候補生だす村の期待をうけて大東京にきた以上
生きて帰らねばならんです
戦争はもうとっくに終わったんだぞ
わかってるだが……体が条件反射で動いてしまうだ

両津 警らでもしてきたら どうだ？
その方が よさそう すね
警ら というと 斥候《せっこう》 だべか？
まっ そんな もんだな
擲弾筒《てきだんとう》や 対戦車地雷を もって いった方が よかんべ！
いらん 戦車など でてくる ものか！
大丈夫 かしら このふたり
個性派 同士 なんとか なるだろう
消火器
進駐軍が まだ 駐留してる だすな このあたりは…
ちがう ちがう これは みな 戦後に できたもの……
McDonald's
TRADE Coca-Cola MARK
SALE
SALE 20% off
TRASH
TRASH
OPEN
ACE
ACE

ばかな!? 周りじゅう 敵国語 だらけ だべ!
AGNES IN TAHITI
舶来 コンプレックス があるからね この国は…
敵だ!
この車こそ マッカーサー 元帥の キャデラックだべ
でてこい!
SUPER CHAMPION
何いってる んだ! そりゃスバル だろうが!!
そういえば キャデラック にしては 小さいべ
360 cc.の キャデラック なんてねえ!
色と タイヤの数が 似てたもので つい……
黒の四輪車は 全部 マッカーサーの 車かよ
スバルと いうと 昔は 戦闘機を 作っていた 会社だべ
どうして すぐ 戦争に 結びつけるんだ おまえ!
伏せろ!

敵の金髪女発見!!
一見非戦闘員のもよう
しかしゲリラとうたがうのが士官候補生だべ
よさんか日本が変に誤解されるだろ!
ギュッ
いたっ
今のがゲリラだったらあんた撃ち殺されてただよ
ゲリラがこんな下町を歩いてるはずないだろ!
カンカンカン
止まれ
常識で読めない所がゲリラの行動わだすはほふく前進でいくだ
勝手にしろ!
ゴッゴッ

わしらの署の管轄はむこうの川までだわかるか？
ゴツ
ゴツ
あれ？
あっ!? ばか者もどってこい！
踏み切りだぞここは！
ゴッ
ゴッ
ばかにうるさいだべな
ひぃーっ鉄の化物!?

米国の秘密兵器だべか!?
速い……一発も撃つヒマなくやられただ
あたり前だ三八式歩兵銃で新幹線と戦うなんて!
千人針と武運長久の守りを体に巻いていたのに…くそ
防弾チョッキ着こんだ方が正解だぞ
しまった正露丸《せいろがん》がきれたあれがきくのに…
よし買ってきてやる金だせ!
はい20銭
おまえジョークのつもりか?
え!?

めんどうくせえやめた!
どうも調子が狂っちゃうな!
薬
おいあいつも仲間じゃねえか
そうだよきっと……
おい早く戦場にいかないとおこられるぞ!
何?やはり戦争は続いているのだか!?
あたり前だろ早く 援軍が集まらないと進まないぞ
よしわかっただ急げ!
大パノラマ映画
二百五十万高地
ロケーション現場
買ってきたぞ……あれ
あいつどこいったんだ?
保健所がだまってないぞあのかっこうじゃ

突撃ーっ!!
全員ぶち殺せ!!
それっ
上等兵どのっ 早く こちらへ 早く!
う うむ
敵兵は意気地がないだ! 一気にせめましょう!
しかし 台本には……
ちょっと ひょっとして それ 実弾が……
あっ
無防備で 敵前に くるとは なめたマネを
必殺! 三八式の 全自動連発《フルオートマチック》 撃ちを くらえ!
ガチャ ガチャ ガチャ
ぐわっ!!

約一名だけ ものすご〜く 浮いてるんだが あいつ なんなの……
エキストラの 者だと 思いますが？
でも 迫真の 演技ですよ 監督
う〜〜む 本物の 戦争に なってるのよね あそこだけ！
すいません この中に まぎれて ないで しょうか？
なんなの あんた？
研修警官 なんですが 戦闘服を きてるんですよ ここと いっしょの 実弾入りの 小銃まで もってまして
実弾？
うわーっ 本物だ あーっ
本気で 撃ってる ぞ！
ぼくちゃん カゼ気味 なので 今日は これで 帰る！
私も 急に用事を！
ダッ
KANTOKU
あそこか… おーい 撃つなーっ

とにかくマジで戦争やってるんですよ こいつっ!
「地獄《じごく》の黙示録《もくしろく》」も顔負けですな!
はは たまには失敗もある
こいつのは並はずれだ
本物はダメ モデルガンの三八式にしろ
は はい
拳銃もマルイのプラモガン自分でちゃんと組み立てるんだぞ!
おまえみたいなのがいると度井仲署も大変だな
とんでもないだ わだすはエリートだ
署の写真もいつももってるだ
どれみせてみろ!
なんだこりゃ
これが最近の写真!?

まるで明治時代みたいだな!
同じ日本とは思えんよ
度井仲県警察署
ちょうどいいきみの写真もとってあげるよ
え!!
やだべ助けて!
どうして?
写真を とると魂をぬかれちまうだよ!
ズルッ
やだといわれるとなおさらやりたくなるのが人の性《さが》!
うわっ
ガッ
モータードライブで100枚位とってくれぬけがらにしちまおう!
やだ!死ぬよ死ぬ〜っ
どういう生活してるのかしら?この人

ずいぶん すごい道 通って いくんだな
村が発見 されてから バスが 通る ように なっただ 3か月に一回
ガタ
ガタ
陸の 孤島だな
みえただ あれが 度井仲村 だべ
どれ…

本当に小さな村だな
ガタ
ガタ
おや村の連中が集まっているぞ
わだすが帰るから歓迎をしてくれるんだべ
ドーン
巡《じゅん》査《さ》生《せい》還《かん》

ドーーン
芋頭《いもがしら》
芋頭巡査が帰ってきただ!
ワーワー
ブロロロ・・
ばんざーい

キィ
ガチャ
芋頭巡査 東京より 無事 もどって まいりましただ！
ビシッ
うむ よく 帰って きただ
お世話になった 警視庁 葛飾署の 両津巡査長だべ
部長の いいつけで 送りとどけに まいりました
わだすが この村の村長 兼署長の 大前田《おおまえだ》よね助《すけ》だす！ このたび 部下が 大変 お世話に なり 感謝するだ！
いや
パレードの用意さ してあるだ どうぞ こちらへ
ジャラ
ジャラ
え!? そんな オーバーな

これが東京の人間か?
目がちゃんとふたつあるだよ
手足が8本ってきいただがこの人ないべ
こらっみせ物じゃないだあっちいけ
あとでゆっくり観察しろ!
パレード用の車ってこれか?
村には戦車などしかないだよ
ほとんど軍隊のそのまま使用してるだ
そういえば変わったの走ってるな
ギッ ギシ

出発──っ
ガガガ
ゴゴゴゴ
パレードというより前線に出撃するみたいだな
気分いいだべ
左にあるのが度井仲署のパトカー部隊だべ
キュラ
キュラ

これがパトカーかよ!?
おかげで村の治安は守られてるだよ
ドロボウも近よらないよこれじゃ
一方村はずれでは…

ついにガス欠だ!
ガタン
ガタン
町から走り続けだからな
まだ逃げる気かよ?
あたり前だ500万円もかっぱらったんだぞ
つかまったらすべてが水のアワだ
しかしいったいここはどこなんだ?地図にものってないぞ
とにかくこの村で別な車を調達するんだ
よし
むっきたぞ!
ブロロロ
耕うん機でもかまわん
やるぞっ

グオム
うおっ
かわった耕うん機だな!
ばか! 装甲車だ!?
こうなったらやるしかない!
止まれ!
キイッ
ひゃあーっ助けてくれ!
おっ
思ったより楽に手に入ったぞ
これで逃げられるな!

なに！
装甲車が賊におそわれただと！
畑に農作業しにいく途中だったんだべ
平和を絵にかいたようなこの村に大事件だべ！
両津どのパレードは一時中断していいだか？
かまわんよ
捕り物の方が面白い！
度井仲村の全パトロール隊につぐだ
村はずれ神社あたりで農耕用装甲車がうばわれただ
青年団 本部
ただちに現場にむかうだ！

現場に通じる道さかためるだ
キュラ
キュラ
青年団
ガガガ
村から一歩もだしちゃなんねえだ
グオオン
この車があればパトカーなどこわくない
グオオオッ
ぎょっ!
戦車が道をふさいでるぞ!?
キイイ!

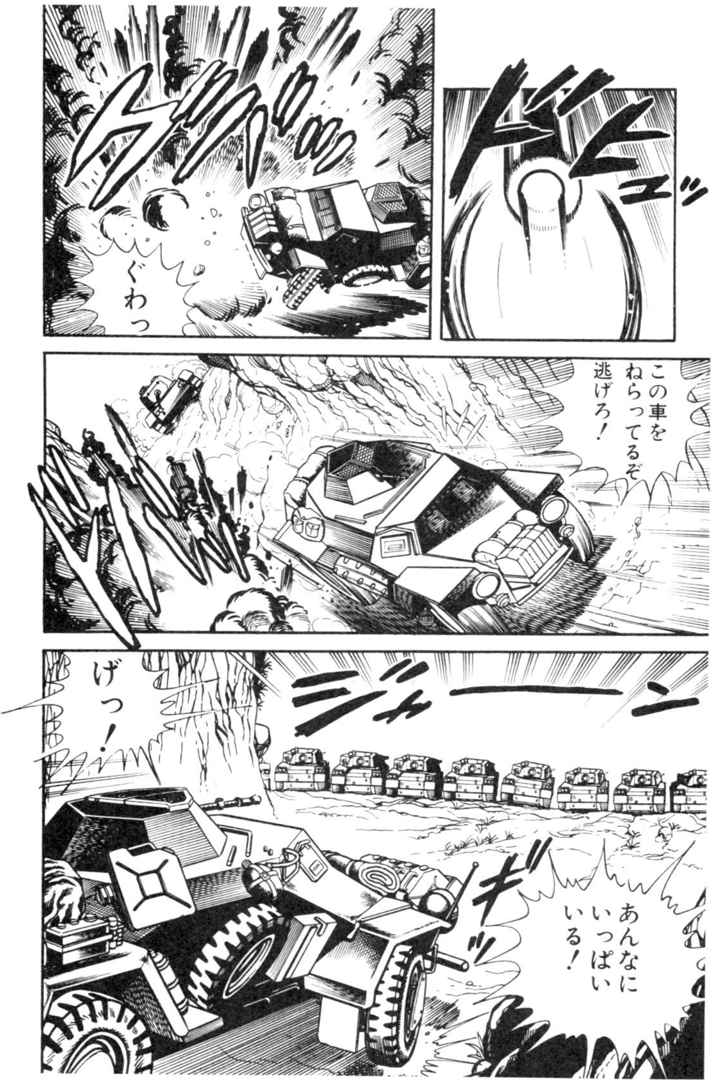
ぐわっ
この車をねらってるぞ逃げろ!
ジャーーン
げっ!
あんなにいっぱいいる!

ちくしょう
道をあけやがれ!!
カッ
ぎゃあ——っ
一発うっただけなのになんでこんな目にあうんだ…
あいててて…

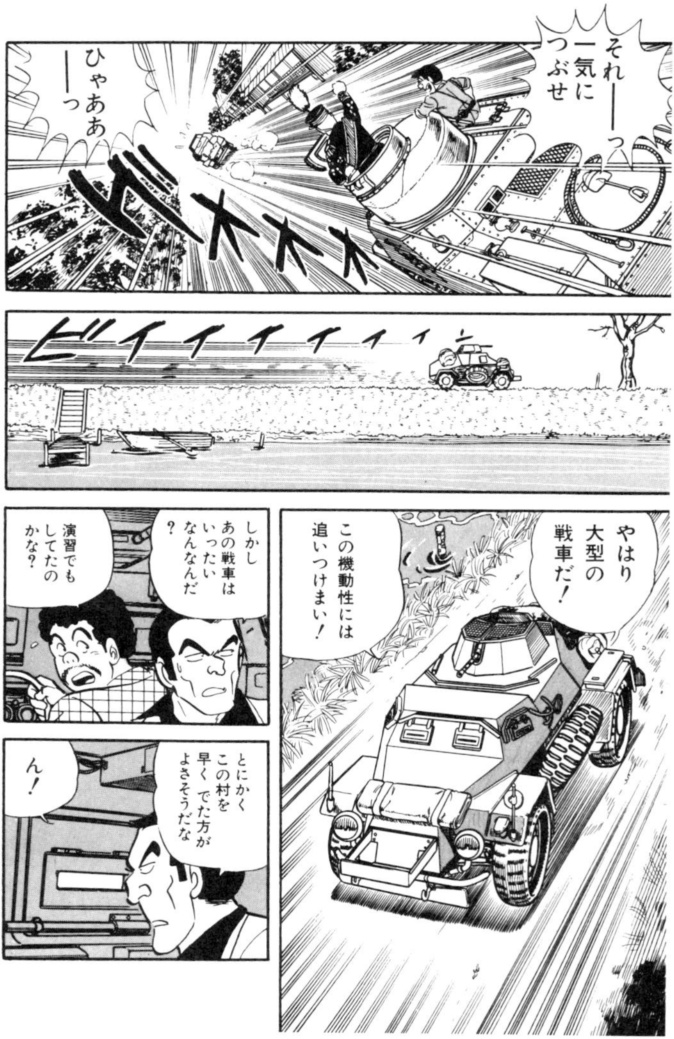

それ──っ
一気につぶせ
ひゃあああ──っ
ゴオオオ
ビイイイイイイイ
やはり大型の戦車だ!
この機動性には追いつけまい!
しかしあの戦車はいったいなんなんだ?
演習でもしてたのかな?
とにかくこの村を早く でた方がよさそうだな
ん!

あの橋を渡れば村の外だ!
この橋渡れば他県
やった!
逃げられたぞっ
やった!
ぬっ
えっ
ずおっ!!

なんで 川に 戦艦が いるんです
とにかく 金は 無事だ!
ガシャッ
おや こんな ところに 何げなく フェラーリの キイが…
みてください さりげなく 車が!
パッ
これは グッド タイミング

ゴオオオオム
これで一気に逃げきれるぜ!
署長どの犯人はフェラーリで逃走してますだ
うむ
どうするんだ逃げられちゃったじゃないか!
いやあなんのなんの
時速300キロで逃げてるんだぞもう大砲でもとどかんぞ
勝負はこれからですだ
わが度井仲署の超目玉品
ゴゴゴゴ

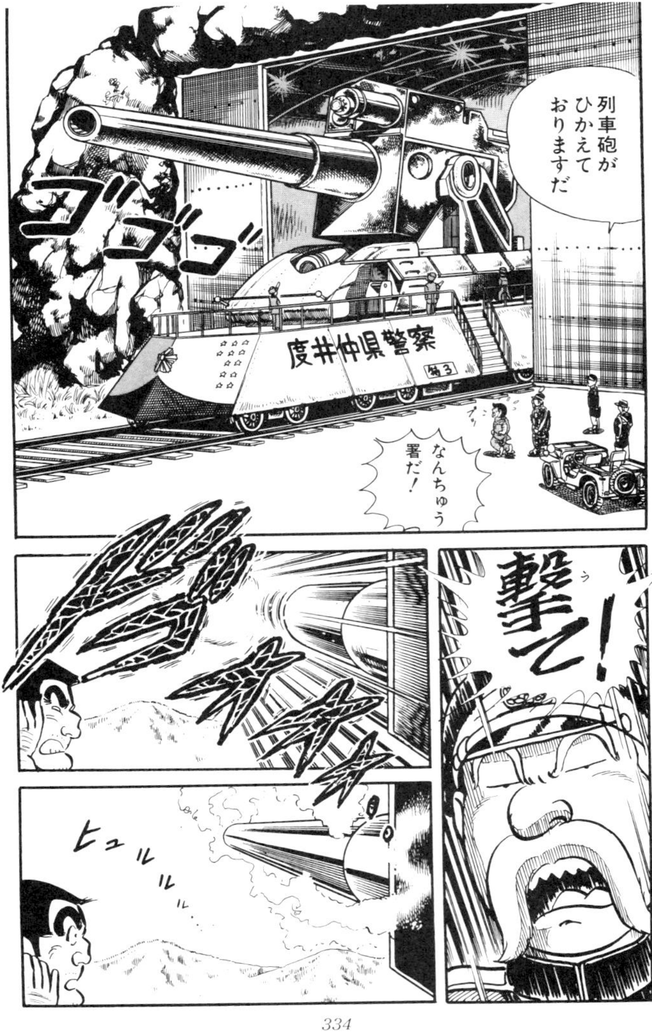

列車砲がひかえておりますだ
ゴゴゴ
度井仲県警察
なんちゅう署だ!
撃《う》て!
ヒュルルル…

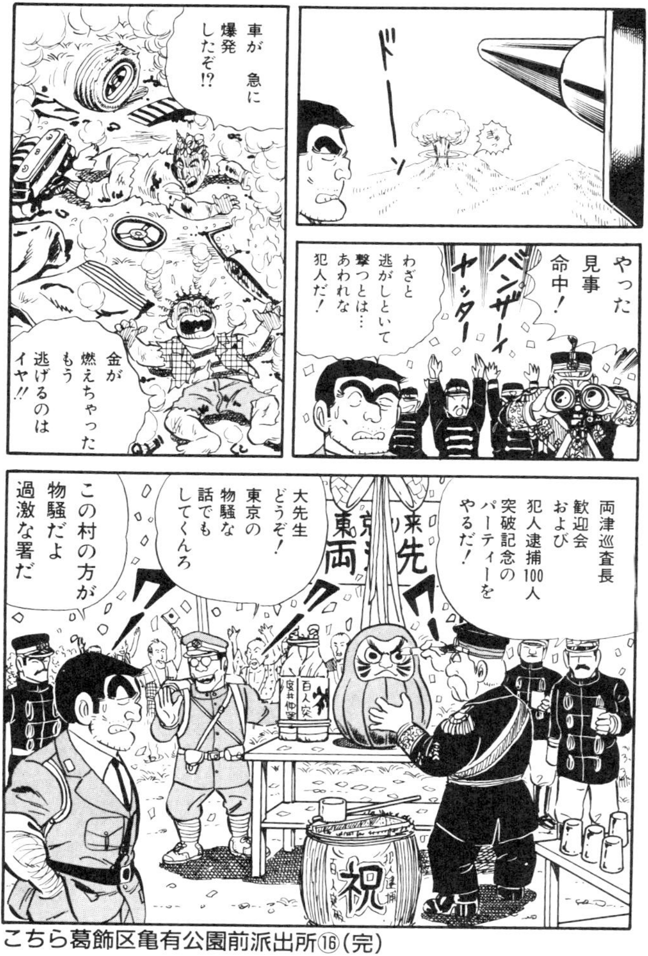

こちら葛飾区亀有公園前派出所⑯(完)

★週刊少年ジャンプ1983年25号

解説エッセイ「抜かず千発」

伴田良輔（著述家）

某月某日。

突然電話でこの原稿の依頼があったが「コチカメ」といわれて情けないことに何のことかわからなかったのだ。わからなかったが、相手がふってきた単語に対して何であれ「わかりません」というのは悔しい。知らないことに対して「何、それ？」と素直に反応することができない悲しい性《さが》を、僕の世代はたいてい隠し持っている。それで「はあ」と曖昧な返事をした。コチカメが秋本治氏作「こちら葛飾区亀有公園前派出所」であるとわかったのは、電話を切ったあと詳細のＦＡＸが届いてからだった。

「こち亀」だったか。そういえばモデルになった交番が最近、近所の住民の運動で廃止寸前で存続することになったって、新聞記事が出てた。

某月某日

自慢するわけじゃないが、僕はいわゆる少年漫画雑誌をほとんど読まない。どうもあの厚さになじめないのだ。アクションとかスピリッツは、食堂なんかにあるとたまにパラパラやるのに、少年漫画はどうも食事しながら読むには厚すぎる。だからたまに傑作があっても、リアルタイムでは、見逃してきた。単行本になって、やっと知るわけである。で、はじめて読む「こち亀」の単行本である。二十年間続いているそうで、いやはやその巻数たるや物凄いことになっている。とりあえず数本を読んで見たら、これが面白い。ファンに叱られるかもしれないが、それほど期待していなかったのだ。ところが読みはじめたら、どの一本たりとも手を抜いてないことが五本ほど読んだ時点でわかった。ランダムに五本読んで面白いのだから、もうそれ以上読んでたしかめる必要はないといっていい。

某月某日

さらに数本を読む。これを二十年やってきたとは凄いもんである。長期連載といえば牛のタロと鍬爺《くわじ》イしか登場しない村（ソン）の会話ものを三十年近く続けている谷岡ヤスジを私は思い出すが、彼を天才型とすれば、こちらは毎回きっちりとディテールが盛り込まれ、きっちり楽しませてくれる秀才型漫画である。秋本治氏は手を抜かない。しょっちゅう抜いてる（何抜いてるんだか）私からすれば、この抜かなさかげんは驚異だ。疲れないんだろうか？　などと聞いてもこういう人には意味がないのだ。なにしろ二十年抜かないでやってきたという事実そのものが、抜くに抜けない天然の「抜かず千発」的な精力の持ち主であることを表しているのだ。

某月某日

「こち亀」に共通するテーマのようなものはあるのか。それは何なのか。ということを、ちょっと考えてみた。たぶんそれは、徹底した煩悩の発露ということだ。主人公の両津はまぎれもなく煩悩の人だ。自分の得をすること、気持ちのいいことのためなら何でもする。自分の煩悩追求のためには平気で他人を巻き込んでしまう。警察官というのは通常、一般市民の「煩悩の暴走」を制止したり監視したりするはずなのに、この亀有公園前派出所では、市民よりも一警察官の煩悩が暴走している。普段そういうものを押さえつけている読者にとって、両津の一〇〇％の煩悩肯定は、じつにうらやましい限りだろう。

しかも両津はけっして成長しない。二十年前も今も、一〇〇％煩悩の人である。成長しないという点では、アンチ・ビルドゥングス・ロマンの雄であるあの柴又の寅さんと似ている。次回もきっと両津の煩悩の炸裂とトホホな挫折を味わえるという確実な予感、これが読者にはあるにちがいない。
また「こち亀」には両津の煩悩をいっそうマニアックにする「学習」が、セットされている。DNA、テープレコーダー、競馬というふうに毎回はっきりした「学習」アイテムがあって、ドタバタの最中にも、アイテムに関する蘊蓄《うんちく》が図解なんかを盛り込んだりして、きっちりと描かれているのだ。これが勉強好きの日本人に受けることはまちがいない。暴走してもタダでは起きない両津なのだ。

某月某日

「こち亀」原稿が終わらないまま用事で渋谷に出て、帰りに山手線に乗った。今日こそ原稿仕上げなきゃなんて思いながらふと前を見たら、目の前になんと両津人形がぶらぶら揺れているではないか。これはついに原稿が書けないあまりの、イリュージョンを見てしまったのか！　あるいは「こち亀」文庫編集部が私の行動をストーカーのように監視して、山手線車内にまで「早く原稿書け、このアホ」という信号を送っているのか！　一瞬そう思いかけたが、もちろんそうではなかった。よく見ると、両津人形のついたキイホルダーである。スヌーピーなんかのやつと同じ素材のアレである。それをリュックから下げているのは二十歳ぐらいの男子学生。

それにしても男子学生が両津人形をカバンにぶら下げるという心理は、いったいどういうものなのだろうか？　オレは両津が好きで好きでたまらない、ということなのか。彼はひょっとして煩悩発散直情型オヤジ専科のゲイなのか。なんてことまで考えてしまった。まあ、女子学生が両津人形をぶら下げてるのも、それなりに怖いか。

近々、葛飾区亀有公園に行ってみようと思っている。派出所はどんな具合になっていて、どんな警察官がそこに立っているのだろうか。まさか両津人形のキイホルダー売ったりしてないだろうなあ。

掲載作品は集英社より刊行されたジャンプ・コミックス『こちら葛飾区亀有公園前派出所』第33巻（1984年12月）第34巻（1985年2月）第35巻（同5月）の中から、著者自らが精選して収録したものです。

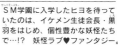

JASRAC 出9713152—701

集英社文庫（コミック版）

こちら葛飾《かつしか》区《く》亀有《かめあり》公園《こうえん》前《まえ》派出所《はしゅつじょ》 16

1997年12月17日 第1刷
2009年7月31日 第4刷

定価はカバーに表示してあります。

著　者　秋《あき》本《もと》　治《おさむ》

発行者　太田富雄

発行所　株式会社 集英社
東京都千代田区一ツ橋2－5－10
〒101-8050
03（3230）6251（編集部）
電話 03（3230）6393（販売部）
03（3230）6080（読者係）

印　刷　図書印刷株式会社

ISBN4-08-617116-3 C0179